A cultura e seu contrário

OS LIVROS DO OBSERVATÓRIO

O Observatório Itaú Cultural dedica-se ao estudo e divulgação dos temas de política cultural, hoje um domínio central das políticas públicas. Consumo cultural, práticas culturais, economia cultural, gestão da cultura, cultura e educação, cultura e cidade, leis de incentivo, direitos culturais, turismo e cultura: tópicos como esses impõem-se cada vez mais à atenção de pesquisadores e gestores do setor público e privado. Os LIVROS DO OBSERVATORIO formam uma coleção voltada para a divulgação dos dados obtidos pelo Observatório sobre o cenário cultural e das conclusões de debates e ciclos de palestras e conferências que tratam de investigar essa complexa trama do imaginário. As publicações resultantes não se limitarão a abordar, porém, o universo limitado dos dados, números, gráficos, leis, normas, agendas. Para discutir, rever, formular, aplicar a política cultural é necessário entender o que é a cultura hoje, como se apresenta a dinâmica cultural em seus variados modos e significados. Assim, aquela primeira vertente de publicações que se podem dizer mais técnicas será acompanhada por uma outra, assinada por especialistas de diferentes áreas, que se volta para a discussão mais ampla daquilo que agora constitui a cultura em seus diferentes aspectos antropológicos, sociológicos ou poéticos e estéticos. Sem essa dimensão, a gestão cultural é um exercício quase sempre de ficção. O contexto prático e teórico do campo cultural alterou-se profundamente nas últimas décadas e aquilo que foi um dia considerado clássico e inquestionável corre agora o risco de revelar-se pesada âncora. Esta coleção busca mapear a nova sensibilidade em cultura.

Teixeira Coelho

Teixeira Coelho

A CULTURA E SEU CONTRÁRIO

Cultura, arte e política pós-2001

ILUMINURAS

Coleção Os livros do observatório
Dirigida por Teixeira Coelho

Capa
Michaella Pivetti
sobre foto de sua autoria.

Revisão
Ariadne Escobar Branco
Virgínia Arêas Peixoto

(Este livro segue as novas regras do Acordo Ortográfico da Língua Portuguesa.)

CIP-BRASIL. CATALOGAÇÃO-NA-FONTE
SINDICATO NACIONAL DOS EDITORES DE LIVROS, RJ

C621c

Coelho, Teixeira, 1944-
A cultura e seu contrário : cultura, arte e política pós-2001 /
Teixeira Coelho. - São Paulo : Iluminuras : Itaú Cultural, 2008.

Inclui bibliobrafia
ISBN 978-85-7321-298-3 (Iluminuras)
ISBN 978-85-85291-89-1 (Itaú Cultural)

1. Cultura. 2. Civilização moderna - Século XXI. 3. Arte e sociedade.
4. Política e cultura. 5. Interação social. I. Instituto Itaú Cultural. II. Título.

08-5318. CDD: 306
CDU: 316.7

03.12.08 08.12.08 010075

2008
EDITORA ILUMINURAS LTDA.
Rua Inácio Pereira da Rocha, 389 - 05432-011 - São Paulo - SP - Brasil
Tel. / Fax: (55 11)3031-6161
iluminuras@iluminuras.com.br
www.iluminuras.com.br

SUMÁRIO

CULTURA E NEGATIVIDADE, 87

"CULTURA É A REGRA; ARTE, A EXCEÇÃO", 117

INTRODUÇÃO

O OUTRO LADO DA CULTURA - E A ARTE

A segunda metade do século 20 viu a ascensão da ideia de cultura a um duplo primeiro plano: aquele dos programas de governo de algumas nações desenvolvidas (com a cultura já agora consideravelmente despida dos tons e do papel ideológicos que a haviam marcado na mesma função política ao longo das primeiras quatro décadas desse mesmo século) e o da cena dos negócios, em vários desses mesmos países. Assim, depois de um momento em que a presença da cultura nos programas de governo de países como União Soviética, Alemanha nazista, Itália fascista e o Brasil do Estado Novo getulista (1937-1945) assinalou-se por um conteúdo fortemente ideológico — e social, como se diz — intolerante e discriminatório, na França criou-se ao final dos anos 50 o ministério da cultura cujo primeiro ocupante, o escritor e militante político André Malraux, comprometera-se com o resgate da dignidade humana massacrada com os ainda recentes desdobramentos da II Guerra Mundial e humilhada na guerra civil espanhola com suas inúmeras atrocidades, entre elas o bombardeio da cidade basca de Guernica pela aviação alemã pró-Franco. Do surgimento do ministério de cultura francês decorreu não apenas a reafirmação da intervenção constante do Estado sobre a cidade de Paris mas também, e este é o fato relevante, o início de uma rede de canais culturais que descentralizou e desconcentrou a produção e distribuição da cultura até aquele momento preferencialmente situadas e sitiadas na capital do país. E no outro plano, o dos negócios ou do *mercado*, foi assim que a cultura tornou-se gradativa e firmemente um dos maiores motores da economia do país que ainda é o centro econômico do mundo, os EUA, onde um único domínio da produção cultural, o audiovisual, vem sendo reiteradamente um dos dois principais setores (junto com a indústria aeronáutica) mais significativos em termos de montante de recursos gerados, e onde, em 1996, a soma total do produto cultural (audiovisual, livros etc.) correspondeu ao primeiro lugar da lista dos componentes dessa mesma obsessão contemporânea, o PIB, produto interno bruto.

O movimento em direção a essas duas posições estratégicas ocupadas pela cultura compõe-se de vetores menos contraditórios e conflitantes entre si do que costuma propor uma argumentação simplificadora mais recente a respeito do papel do Estado e do Mercado. Nem a política cultural dos estados foi de todo desinteressada ou generosa[1], nem o mercado ofereceu *unicamente* novas fontes de lucro rápido e rasteiro para uma iniciativa privada que não se importaria com a qualidade de seu produto e o impediria mesmo de mostrar-se culturalmente relevante (o cinema, atividade mercantil como tantas outras, forneceu boa parte das mais destacadas obras-primas do século 20, todos os gêneros considerados, incluindo-se aqui a literatura e as artes visuais: basta pensar na cinematografia de Fellini, Bergman, Oshima, Godard, Antonioni, Kurozawa, Glauber Rocha, tantos outros).

De todo modo, não foi apenas para isso que se descobriu a cultura no século 20. Ela serviu também como instrumento ideológico de expansão imperial e de agressão econômica, política e social. Exemplos extremados dos dois últimos casos estão à disposição na história do comunismo e do nazismo. E uma amostragem dos dois primeiros, que se distinguem do segundo mais por um efeito de superfície que de fundo, encontra-se no uso que os EUA fez da penetração cultural para difundir seus valores e interesses. O Brasil foi um dos alvos escolhidos por esse país, mas não o único. A rivalidade dos EUA com a Europa levou-o também a difundir a ideia de uma "arte americana contemporânea" considerada como expressão privilegiada dos novos tempos — que o seria mais ainda que a própria arte da Escola de Paris, na opinião dos ideólogos norte-americanos oficiais — e da qual a obra de Pollock foi indício e uma das expressões máximas, adotada pelo Departamento de Estado como emblema da arte apropriada a um país novo, afirmativo e impositivo.

As décadas finais do século 20 presenciaram uma fragmentação e paralela pulverização dessas guerras culturais e, ao mesmo tempo, uma maximização do conflito cultural. O cenário da atomização das diferenças culturais, frequentemente em choque mais que em sintonia umas com as outras, foi aquele demarcado pelo aparecimento dos "estudos culturais" à americana (apesar da eventual precedência da escola inglesa) que serviram de moldura teórica e estimulação para o surgimento de um novo feminismo e o reconhecimento cultural das minorias étnicas e sexuais. E à reascensão da cultura como instrumento

[1] Ao lado do ânimo humanista de André Malraux, que propunha a cultura como mola de uma outra qualidade de vida, residia a vontade política de reforçar e preservar a identidade francesa e manter a França como polo de atração do turismo, portanto dos negócios.

forte de luta ideológica ou, em todo caso social, correspondeu aquilo cuja existência alguns insistem em negar: o choque de culturas ou civilizações, embora envolto quando não provocado pelos conflitos de interesse econômico, do qual o ataque terrorista aos EUA no primeiro ano do século 21 foi um emblema mas que já ganhava forças antes disso e que existia também, ainda anteriormente aos surpreendentes mas não imprevisíveis acontecimentos de 2001, no interior mesmo dos grandes blocos culturais.

Toda essa armação ou armadura cultural derivou, no ocidente, do papel cada vez mais reforçado que a cultura passou a ter na dinâmica da vida e do mundo em virtude do esmaecimento, em muitas latitudes e longitudes, dos dois grandes vetores sociais que antes haviam mantido as sociedades unidas ao redor de si mesmas e afastadas umas das outras: a religião e a ideologia (pelo menos, a ideologia alternativa de esquerda). A religião, em todo caso no chamado Ocidente, passou por crescente corrosão, interna e externamente, em sua qualidade de esquema interpretativo da vida e do mundo e também em sua função moral, política e social (apesar das recentes revisões históricas que insistem no papel subsistente da religião como alavanca para o desenvolvimento dos diferentes nacionalismos na Europa e nos próprios EUA numa época, século 19, quando supostamente seu enfraquecimento já seria perceptível). E a ideologia passa por análogo processo, magnificado simbolicamente com o naufrágio do império soviético em 1989 mas já em lento e crescente desmoronamento (embora assim não considerado à época) desde as invasões militares da Hungria em 1956 e da Tchecoslováquia em 1968 pelas forças do bloco liderado pela extinta URSS — e desde, ainda, a evidência cada vez maior da involução democrática em Cuba, para dizê-lo em termos eufêmicos quando haveria espaço para destacar aqui também, e simplesmente, o brutal e nítido fim de outra ilusão. Ao lado dessas duas forças, religião e ideologia, não se pode minimizar, claro, o papel da economia como fator de união nacional. Mas a economia não gera a paixão social requerida pela *vida comum*. A economia pode fomentar o ódio, mas não as paixões aglutinadoras. Na verdade, e tanto quanto a religião e a ideologia, a economia antes separa do que aproxima — embora aquelas pelo menos aproximem os fiéis de mesma orientação, enquanto esta nem isso faz com os que pertencem supostamente a um mesmo grupo, salvo em situações de grave crise social. Dito de outro, religião, ideologia e economia aproximam os que já estão próximos (os iguais) e distanciam os que estão afastados (os diferentes). E, como já se torna frequente dizer, quando nada mais funciona como cimento da vida política (a *polis*) ou da vida civil (a *civitas*), recorre-se à cultura em desespero de causa...

É o que acontece agora: espera-se que a cultura mantenha o tecido social, a (rala) trama ideológica restante — ausência que não deixará saudade — e a (débil) costura econômica. Pensando no caso brasileiro, depois de ter servido como instrumento de *integração nacional* sob a ideologia da ditadura militar entre 1964 e 1984, a grande palavra de ordem para a cultura agora, nestes anos de 2003 e 2004, é *inclusão social*, da qual a cultura surge como veículo aparentemente e forçadamente privilegiado (uma vez que da economia ou do planejamento econômico neste momento pouco se pode esperar nesse sentido). "Inclusão social" vem junto com a propaganda nacionalista da identidade, como traduzida na fórmula "O melhor do Brasil é o brasileiro" que repete outras de análogo teor geradas por aquela mesma ditadura. E assim, de um momento histórico em que a cultura era sobretudo um campo de conflito (até o final da segunda guerra mundial e, depois, remanescentemente, até o final da guerra fria), e de um outro momento (mais breve no século 20) quando a cultura foi vista como instrumento ocasional e descompromissado de desenvolvimento espiritual aleatório — complementar ou suplementar de outros desenvolvimentos —, passou-se a uma etapa em que a cultura é considerada, de modo geral, apenas em sua positividade social. A cultura tudo pode, e tudo pode de bom no e para "o social": a cultura combateria a violência no interior da sociedade e promoveria o desenvolvimento econômico (a cultura "dá trabalho", como se insiste em lembrar neste momento), portanto a cultura seria a mola predileta da inclusão social e do preparo do bom cidadão para o desenvolvimento do país.

O que de fato se observa hoje é um grande processo de *domesticação da cultura*, de certa forma ainda mais perverso que aquele movido pela transformação da cultura em arma de combate ideológico. Mais perverso porque o recurso à ideologia deixa pelo menos a porta aberta, muitas vezes, para algum cinismo ("sei que a coisa não é assim mas faço de conta que é assim") ou, em todo caso, para o oponente ideológico (que tem de existir e cuja presença é reconhecida e reforçada mesmo porque, sem ele, a ideologia B, digamos, a ideologia que se quer defender em oposição à ideologia A, não subsistirá). O atual processo de domesticação vai mais fundo porque a cultura não é confrontada com nenhum oposto, portanto nenhum confronto se opera entre seu alegado princípio interior e algo que o contrarie, e nenhuma brecha parece esboçar-se ou pode ser denunciada na carapaça de monolítica positividade que lhe é atribuída. O único inimigo alegado da cultura hoje, no ocidente, depois de ter ela superado o papel social da religião e da ideologia, é a economia, na versão do divulgado conflito entre cultura e mercado. Mas esse, sendo um inimigo previsível, é um falso inimigo, um inimigo a servir, antes, como conteúdo para figuras de retórica, já que, de fato, pode ser facilmente posto a serviço da cultura de uma maneira ainda mais cômoda do que a religião e a ideologia.

O sinal chocante de que essa ampla *domesticação da cultura*, abarcando-a como um todo e nisso incluindo também — e sobretudo — a arte, já estava largamente em curso de modo insensível, e de que a crença na cultura e na arte como um *bem*, e algo que só pode *fazer o bem* além de *fazer bem*, já estava solidamente implantada, foi fornecido pela reação à "escandalosa" afirmação do compositor Stockhausen de que o atentado contra as torres gêmeas de New York em setembro de 2001 era a maior obra de arte de todos os tempos. O atentado em si foi visto, conforme o comentarista eventual do episódio, como um marco de várias coisas: do fim do século 20; da consolidação definitiva da globalização, ao incluir em seus moldes e em sua "atitude" o terrorismo "primitivo" praticado pelo fraco; e, mais que tudo, marco da aldeia global na qual todo mundo é o quintal de todo mundo (algo que na verdade a ecologia já repetia há tempos); marco, ainda, da morte definitiva, e morte violenta, da modernidade (quer dizer, do predomínio da razão); marco do início da III Guerra Mundial; da primeira grande batalha pela descolonização mundial; da ascensão do terrorismo à posição de poder mundial contrastando a força da suposta grande, última e única potência internacional, criando-se assim uma situação assimétrica na qual o império não tem mais necessariamente a palavra final. Um marco, enfim, a indicar que nada mais seria como antes. Eventualmente, o atentado foi tudo isso ou boa parte disso tudo. Numa outra dimensão igualmente dramática, pela reação que provocou em Stockhausen e pela reação que o comentário do compositor provocou um pouco por toda parte, o atentado ao World Trade Center funcionou, indiretamente, como o primeiro grande lembrete produzido no início do milênio — depois das aparentemente esquecidas anotações de Freud sobre a cultura e seu papel na sociedade humana — de que a cultura não é apenas positividade e que assim como cada indivíduo é virtualmente um inimigo da cultura, como propôs o fundador da psicanálise, do mesmo modo a cultura — ou pelo menos a arte, como se verá adiante — é uma adversária do indivíduo e da sociedade. E esse ato terrorista lembrou, de modo ainda mais especial, que, se não a cultura, *a arte*, ela, *é essencialmente algo de perigoso ou não é*, pelo menos a grande arte. O atentado, a declaração de Stockhausen e as reações dos que se lhe opuseram destamparam o caldeirão em que a cultura ferve como um magma de ambiguidades, contradições e paradoxos. A tampa, claro, foi imediatamente recolocada sobre essa grande panela antropofágica — esta sim, realmente antropofágica — e preferiu-se abafar o escândalo do *efeito Stockhausen* com o escândalo, esse já suficientemente enorme, do atentado físico às torres gêmeas. E por hábito e comodismo, por ingenuidade e desconhecimento, por oportunismo e falta de alternativas, insistiu-se em continuar a ver a cultura como o grande capital de positividades à disposição do indivíduo e da sociedade — o que ela pode eventualmente ser, sem que, no entanto, nesse processo ela arraste consigo a arte.

A ocasião é boa demais para deixar passar em branco a rediscussão do lugar e do sentido da cultura — e por contraposição, da arte. A cultura de fato é, por enquanto, o último *recurso comum* das sociedades chamadas ocidentais no século 21. É preciso insistir que assim seja: um dique contra o obscurantismo da religião, da ideologia e da economia, alavanca da governabilidade laica, republicana, e de uma qualidade de vida que preserve o mundo. Dificilmente ela poderá desempenhar essa função, porém, se sua rede de paradoxos e sua negatividade continuar a ser ignorada ou minimizada — em outras palavras, se continuar a ser vista e tratada em sua versão simplificada. Procedendo por analogia ao redor de uma consideração de Nietzsche, a história, a crítica e a política cultural, em particular nas últimas décadas, têm-se contentado com conceitualizar a cultura a partir de sua dimensão exterior (das funções instrumentais imediatas que pode exercer, do papel que se lhe pode atribuir desde vários pontos de vista muito localizados) em lugar de vê-la e acioná-la ou estimulá-la, em todos seus recantos e componentes, a partir de suas contradições internas e próprias — o que quase significa dizer: *em lugar de vê-la como algo vivo.*

Este livro busca apanhar a cultura contemporânea em algumas de suas manifestações contraditórias — entre elas, o grande contraditório da cultura que é a arte, aquilo que acima de tudo se busca domesticar — e figurá-la ali em seus *pontos cegos*, aqueles pontos, como sugere Terry Eagleton, onde a cultura encontra, dentro de si, seu contrário (ou seu duplo) ou ali onde deixa de ser aquilo que é e que aparentemente é — em seus cruzamentos com aquilo dela que aparentemente não é ela mas que, claro, é ela também. O primeiro capítulo percorre os sentidos habituais que se atribui à palavra *cultura* para destacar aqueles que são relevantes para o estudo da cultura hoje em sua condição de instrumento do desenvolvimento humano (o que é outro modo de dizer que o ponto de vista aqui adotado é o da política cultural, que busca com a cultura modificar o mundo, e não o dos estudos distantes da cultura, como é comum na antropologia e na sociologia, interessados apenas em entender a cultura). O segundo capítulo discute um modo central da cultura contemporânea, o modo móvel, flutuante, vogante, e aborda o que pode ser entendido como uma qualidade da cultura brasileira (no entanto vista durante longo tempo, tempo demais, como sua qualidade negativa), tratando de ver em que medida essa cultura brabsileira revela-se contemporânea histórica do presente e de si mesma além de modelo (opcional, nada impositivo: inspire-se nele quem quiser, uma vez que essa cultura não contém nenhum traço de imperialismo cultural, ao contrário do que ocorreu ou ocorre com a alemã, a francesa e a anglo-saxã) para outras "culturas nacionais" no século 21. O terceiro dedica-se à emergência contemporânea da sociedade civil como talvez a maior mudança cultural registrada no século 20 tardio. O quarto aponta para algo que não se costuma destacar na cultura — seu componente negativo — por meio de uma reflexão sobre o princípio do *inerte cultural* e sua relação com a violência (lembrando que um dos usos que se procura dar à cultura hoje é o de combater a violência interior à sociedade) e pela análise de um caso concreto trazido à tona, como tantos outros, pelo ataque terrorista às Torres Gêmeas de Nova York em setembro de 2001. E o último desenvolve um tema que ficou inserido em filigrana ao longo dos anteriores: o lugar e o significado da arte (sobretudo a contemporânea) diante do sistema de sentidos da cultura, buscando desenhar os traços que distinguem uma da outra.

Estes ensaios revelam-se quase certamente, para recorrer novamente a Nietzsche, modos de uma *consideração intempestiva* da cultura, divergente da hoje predominante em mais de um espectro político e que segue um princípio investigativo que talvez possa ser denominado de genealogia da cultura e da arte. Mas, tratar intempestivamente a cultura talvez seja um modo privilegiado de livrá-la dos trilhos rígidos em que se tem buscado colocá-la e devolver-lhe a capacidade heurística que, em condições normais, fica restrita apenas a um de seus domínios, o da arte (e que, se ficar restrita à arte, que o seja então de modo aprofundado). Nada impedirá que essa cultura — a que pensamos poder manejar e que nos parece favorável mas, também, aquela que ignoramos ou procuramos ocultar — exploda em nossa cara. O reconhecimento de sua tessitura de paradoxos e de sua carga de negatividade pode, entretanto, permitir a elaboração de instrumentos mais adequados para o entendimento e a estimulação dela mesma e do desenvolvimento humano, como hoje se afirma pretender alcançar, ou, pelo menos, para a devida formatação e colocação a nosso serviço daqueles que ao longo do século 20, lançando mão do recurso à cultura em seu modo conformista e conservador, tiranizaram e tiranizam o indivíduo e os grupos humanos: o Estado, o Partido, o Mercado (a Economia) e, mais recentemente, a Comunicação (como instrumento de manipulação política, como tal usada pela televisão e pelos aparelhos de comunicação dos governos com sua necessidade de geração de factóides de marketing político ou, mais amplamente, em sua vocação para a construção de uma *língua perversa* na qual as palavras querem dizer ao mesmo tempo mais, menos e o contrário do que afirmam); e, por fim, mas não de menor importância, a Informação, que ingloriamente se pretende apresentar como substituta do Significado.

Por último — mas de modo algum em derradeiro lugar — este livro assume como princípio inspirador a constatação do poeta espanhol Francisco de Quevedo segundo a qual "desapareceu tudo que era firme e apenas o fugaz permenece e dura". Essa observação, velha já de mais de 400 anos, é daquelas que não terminam de se enraizar na consciência dos teóricos da cultura e, em particular, dos ideólogos da cultura. Virou recurso comum afirmar — e lamentar, afirmar para lamentar — que na cultura moderna e contemporânea tudo que era sólido se desfaz no ar ou que tudo virou líquido e escapa por entre os dedos. Carreiras intelectuais completas se fizeram sobre a insistência recente nessa dupla tecla. Como diz Quevedo, porém, há mais de 400 anos as coisas já eram líquidas e vaporosas, não tinham formas definidas e perenes. Tudo leva a crer, de fato, que as coisas em cultura *sempre tenham sido assim* e que o homem e a mulher de seu tempo tenham sempre sentido que esse mesmo tempo no qual se situavam (e que pensavam ingenuamente ser seu) se lhe escapavam sob os pés. Já Platão afirmava que os "bons velhos tempos", os tempos dourados, haviam ficado perdidos para trás, numa outra fórmula para observar e lamentar que os tempos "do momento" não tinham forma boa ou, a rigor, forma alguma. E esse cenário deve ter parecido ainda mais claro para Quevedo entre os séculos 16 e 17, quando as explorações marítimas revelavam novas realidades, as sociedades europeias ensaiavam os primeiros passos de libertação do jugo da religião e da realeza e a economia desenhava os antepassados do sistema financeiro que hoje conhecemos, com todas as repercussões que esse quadro podia ter na cultura. Anotações como a de Quevedo deixam claro que a cultura é tudo menos aquilo que lhe atribuem inúmeros ideólogos, isto é, algo de perene e duro e sempre idêntico a si mesmo. Quando me refiro aos ideólogos, penso nos defensores, de direita e esquerda (e no Brasil conhecemos as duas espécies ao longo do século 20, sobretudo em sua segunda metade), das teorias da identidade: a identidade pessoal, a identidade nacional, a identidade étnica, a identidade de sexo ou de gênero, a identidade cultural. Penso neles e em sua trágica defesa de uma identidade a ser encontrada, preservada, recuperada, elogiada e difundida como tal, como se fosse tal, *como se pudesse ser tal*. A "busca das raízes" foi uma operação que sempre cobrou seus tributos em sangue, para parafrasear e extrair as consequências de uma anotação sobre as fronteiras e os nacionalismos feita pelo escritor Claudio Magris, Prêmio Princide de Astúrias de Literatura de 2004. Nenhuma identidade é fixa, estável e perene. Toda identidade, como toda cultura, está em constante mutação, dissolvendo-se e liquefazendo-se para se recompor e refazer em seguida sob aparência pouco ou muito diferente. Toda cultura, em outras palavras, foge de si mesma, assim como São Paulo, com seus cinco sucessivos centros, como escrevi em outro lugar, é uma cidade que foge de si mesma (num outro indício de contemporaneidade da cultura brasileira, embora pelas mesmas razões aqui apresentadas não se possa nunca falar numa " cultura brasileira" mas, se tanto, num duplo dessa cultura que, para os efeitos da discussão que se quer travar, se parece com e se comporta como aquilo que foi ou deveria ser a cultura brasileira). Esse é o ponto central a levar em consideração quando se discute a cultura na contemporaneidade. Se não é toda a cultura que assim se comporta, não há a menor dúvida de que é assim que se apresenta pelo menos uma parte muito especial do que se considera cultura (inadequadamente, como se procura demonstrar), e há pelo menos quase tanto tempo quanto a observação de Quevedo: a arte. A arte, porém, não é mais do que uma exacerbação e uma exasperação da cultura: se a arte é, ela mesma, fugaz e, paradoxalmente, somente permanece e dura nessa fugacidade (mas a cultura é também e sobretudo paradoxal, sempre), é porque a cultura também o é ou porque a cultura lhe cria as condições para assim ser. Trabalhar com o que foge de si mesmo, com o que é fugaz e esquivo, é árduo e tende a ser uma operação posta de lado em meios intelectuais rígidos como costuma ser a universidade. E, claro, não é uma ideia nada oportuna para o ideólogo de partido que deve gerar chavões cuja finalidade primeira é ajudar seu grupo a conquistar o poder e, uma vez no poder, ali se perpetuar. Aprender a operar com o flexível, com o furtivo e o fugaz é essencial. Afinal, assim é nossa vida.

NEM TUDO É CULTURA

Cultura não é o todo. Nem tudo é cultura. Cultura é uma parte do todo, e nem mesmo a maior parte do todo — hoje. A ideia antropológica segundo a qual cultura é tudo não serve para os *estudos de cultura*, menos ainda para os estudos e a prática da política cultural em cuja perspectiva, por razões que se tornarão evidentes, este livro é escrito. A visão da cultura como sendo tudo e o todo é uma proposta do Iluminismo do século 18 anterior à Revolução Francesa, para o qual cultura era a soma dos saberes cumulados e transmitidos. Nessa linha de argumentação, o antropólogo britânico Edward Burnett Tylor (1832-1917) propôs em 1871, em seu livro *Primitive Culture*, a primeira definição do conceito etnológico de cultura, ao dizer que cultura, ou civilização, no sentido etnológico mais amplo do termo, é esse todo complexo que compreende o conhecimento, as crenças, a arte, a moral, o direito, os costumes e outras capacidades ou atitudes adquiridas pelo homem enquanto membro da sociedade. Em outras palavras, tudo. Tudo que é humano. Inclusive a natureza naquilo que a natureza, naquele momento como agora, tem de cultural[2]. Mas, como se disse, essa não é umaideia operacional quando se deriva de uma disciplina que busca apenas entender o mundo (se é que esse entendimento antropológico da cultura permite de fato entendê-lo) para outra que quer atuar sobre o mundo de modo a transformá-lo. Aquela é uma ideia imobilizadora e engessadora, além de cômoda, porque abrangente, e, hoje sob mais de um aspecto, simplista; o que se procura aqui, no campo dos que querem transformar o mundo ou, melhor: viabilizar as condições para que o mundo se transforme (para melhor), é uma ideia de cultura de fato instrumental, efetivamente motriz. Tampouco adianta de muita coisa uma outra ideia tradicional a respeito de cultura, uma ideia igualmente abrangente, totalizante e totalizadora e da qual essa ideia antropológica foi extraída: a ideia de que cultura é palavra e conceito

O CONCEITO ETNOLÓGICO

[2] Para os autores dos séculos 17 e 18, a palavra "natureza" era praticamente um sinônimo para "vida". Como observa Isaiah Berlin (*The Roots of Romanticism*, Princeton Univ. Press, 1999), naquele momento a palavra "natureza" era tão comum e tão imprecisa quanto hoje é, uma coisa e outra, a palavra "criatividade".

A CULTURA COMO LÂMINA

que derivam da palavra e do conceito de agricultura e, portanto, que cultura é tudo que deriva da ação humana sobre alguma outra coisa (sobre a natureza mas, hoje, não apenas sobre a natureza). A palavra *cultura*, em uso corrente desde o século 17 em seu sentido atual, pode etimologicamente derivar daí — mas não é adequado ou produtivo supor que o sentido etimológico possa servir (sempre) como base e guia para o conhecimento e, menos ainda, para a ação com base no conhecimento. Se a questão for recorrer aos sentidos epistemológicos, melhor talvez fazer como uma certa tendência anglo-saxã[3] e escolher uma outra raiz para cultura: a palavra *coulter*, nesse universo considerada uma cognata de *cultura* e que significa *a lâmina do arado*. Esta, sim, uma ideia estimulante para os estudos de cultura e política cultural, ideia com a força de uma imagem poética: a cultura que interessa é aquela que se apresenta como a lâmina do arado. (Mas, pode ser que seja melhor reservar essa imagem do arado para algo que tem a ver com a cultura embora não seja igual à cultura por ser maior que ela: a arte. Disso se falará no último capítulo.) Não que a origem agricultural da cultura seja de todo negativa para estes novos estudos: Francis Bacon escreveu a respeito "da cultura e do adubamento dos espíritos", numa aproximação sugestiva entre esterco e elevação espiritual... Para que a cultura seja estrume, no entanto, ela tem de ser o resíduo de algo que foi ingerido, digerido e eliminado sob forma pouco desejável, teria de ser o resultado de algo que não serve mais a sua função ou programa inicial, algo que já morreu e passa a servir para alimentar e fazer viver alguma outra coisa (folhas de árvores caídas no chão e que ali iniciam seu processo de decomposição e fertilização de outras vidas, mesma função de animais mortos, vermes variados). Não é imagem de todo inadequada à noção de cultura. O que de fato diferencia o *uso cultural* do *consumo cultural* é que no *uso* a *coisa de cultura* é interiorizada e transformada em substância vitalizadora em virtude de algum metabolismo de seu receptor (o que pressupõe a existência de um resto eventual a jogar fora), enquanto o *consumo* marca-se por um contato epidérmico entre receptor e coisa cultural, contato mediante o qual a coisa de cultura desliza pela superfície do receptor sem afetá-lo interiormente seja como for e é em seguida eliminada, posta fora, sem que tenha havido qualquer trabalho (alteração de estado) *na coisa cultural* por parte do receptor e no *receptor* em virtude de sua exposição à coisa cultural. De outro lado, a noção da cultura como esterco tampouco é de todo inconveniente porque a cultura de fato sempre se transforma em algo, de início não previsto, para servir a

DESAQUISIÇÃO CULTURAL

[3] Registrada por Terry Eagleton em *The Idea of culture*, Osford: Blackwell, 2000.

processos de fermentação e geração de outras coisas dela distintas — úteis ou aproveitáveis, algumas, de todo dispensáveis, outras. E é sugestivo, ainda, que se pense na cultura como algo a ser eliminado, como algo a ser certamente eliminado, inevitavelmente eliminado, algo que não pode ser guardado indefinidamente sob pena de empestar o entorno; sob esse aspecto, penso no tema da *desaquisição cultural*, o contrário do processo de aquisição e conservação da cultura típico da atual sociedade humana das várias latitudes e longitudes e que se manifesta na compulsão de tudo guardar e preservar no estado em que inicialmente é criado ou achado (ou em estado ainda melhor do que aquele contemporâneo da decisão de que deve ser guardado, estado a ser obtido mediante uma intervenção técnica de restauração — frequentemente restauração de um imaginário estado inicial...); a aquisição cultural não pode ser o processo único, exclusivo, nem o principal processo da cultura; toda aquisição se faz acompanhar inevitavelmente do correspondente processo de desaquisição e a dinâmica cultural teria a ganhar se essa via ou mão de direção do processo fosse reconhecida e implementada de modo consciente e deliberado, algo no entanto ainda agora visto como autêntico *anátema cultural*... ("Como pode um museu desadquirir suas obras?", pergunta-se no tom de desaprovação moral típico de quem se sente insultado, tom só possível em virtude da crença de que os valores de uma obra de arte estão estabelecidos para todo o sempre e não mudarão nunca, equívoco cultural dos mais palmares.) Seja como for, se essa imagem da cultura como esterco é para ser explorada, ela deve conviver ao lado de outra que é aquela de início a buscar e, talvez, privilegiar: a imagem da cultura como sendo a melhor parte do bolo — não como qualquer parte do bolo, não como parte de um bolo feito todo de partes iguais ou equivalentes mas como a melhor parte desse bolo. Ambas imagens convivem lado a lado, justapostas, e como tais devem ser mantidas à flor da reflexão, quando se discute a cultura e o processo cultural. Aliás, uma das primeiras consequências positivas da noção da cultura como adubo é *a ideia de processo* nela implícita: o estrume é o elemento afinal ativo mas ele mesmo em si não é nada, ele mesmo é outra coisa, e outra coisa resultante de um *processo* cujas partes têm todas a mesma natureza verificada no conjunto: a cultura como processo, não como um *objeto* mas como uma *atividade*, esta é a ideia chave.

Então, o entendimento universalista da cultura praticado pela antropologia não se revela operacional do ponto de vista do estudo da cultura, ela mesma, e, menos ainda, do ponto de vista dos que pretendem atuar com a cultura e por meio da cultura — como na política cultural. Quando tudo é cultura — a moda, o comportamento, o futebol, o modo de falar, o cinema, a publicidade —, nada é cultura. Mais relevante: quando em cultura tudo tem um mesmo valor, quando tudo é igualmente cultural, quando se diz ou se acredita que tudo serve do mesmo modo para os fins culturais, de fato nada serve, em particular quando o que se procura, como agora, é fazer da cultura um instrumento daquilo que se tornou meta central das sociedades todas: o chamado *desenvolvimento sustentável* ou, de forma mais adequada (já que há aqui um sujeito ou, conforme o ponto de vista um objeto claro desse processo, e que não é o desenvolvimento em si), o chamado *desenvolvimento humano*. Uma distinção inicial, mínima, tem de ser feita entre o que é cultura e o que é oposto à cultura, o que produz efeitos contrários àqueles buscados na cultura e com a cultura — em outras palavras, uma distinção tem de ser feita entre *cultura* e *barbárie*, entre o que estimula o desenvolvimento humano individual e, em consequência (não o contrário), o processo social, e aquilo que o impede, distorce e aniquila.[4] Em todo contexto humano há elementos de cultura e elementos de barbárie, que não necessariamente entram num jogo dialético do qual resulta uma eventual síntese superadora de uma e outra na direção de uma terceira entidade: o mais provável é que ambos tipos de elementos justaponham-se, ombreiem-se e deem origem às consequências que podem gerar. O entendimento de Walter Benjamin (que, nascido em 1892, fugindo do nazismo em 1940 encontra uma morte controvertida em Port Bou, pequena cidade de Espanha na fronteira com a França), segundo o qual todo documento de cultura é ao mesmo tempo um documento de barbárie, é central para a compreensão não redutora da dinâmica cultural, sobretudo quando, como agora, procura-se *domesticar a cultura* e dela falar e a ela recorrer como se fosse apenas um conjunto de positividades, de aspectos moralmente apreciáveis. O contrário, porém, não é verdadeiro: o documento de barbárie não é um documento de cultura — não para o que interessa aqui. A visão universalista da cultura, cristalizada por Tylor em 1871 — um ano significativo, o mesmo ano da Comuna de Paris e da estreia no Cairo da ópera *Aida*, de Verdi — não esteve sozinha no cenário das coisas de cultura. Já um século antes, em 1773[5], Herder (1744-1803), num livro escrito em colaboração com Goethe, *Von deutscher Art und Kunst (Sobre o estilo e a arte de Alemanha)*, opunha-se ao

[4] Há uma decisiva e difícil distinção a ser feita entre o que é o oposto da cultura, a barbárie, e aquilo que, sendo parte integrante da cultura, é sua parte negativa. Ver cap. 3.

[5] Vinte anos antes, em 1753, Alexander Baumgarten (1704-1762) propunha e definia, em seu sentido moderno, o termo "estética", palavra e conceito que voltarão à cena deste livro em seu capítulo final.

universalismo do Iluminismo francês , que julgava empobrecedor, ao falar de recortes *nacionais* (o *Volksgeist*, traduzido ora por *espírito nacional*, ora por *caráter nacional*) do que se devia entender por cultura, cabendo a cada cultura uma representação distinta da humanidade.[6] Apesar de revelar-se o Iluminismo um movimento cosmopolita largamente antinacionalista inclusive na própria Alemanha (caso de Kant), ao longo de todo o século 18 firma-se sempre mais entre os autores alemães uma posição antiuniversalista, nacionalista, particularista, relativista e essencialista da cultura. Para estes — entre eles, Herder, a quem os espíritos franceses da época pareciam áridos, artificiais, incapazes de entender as potencialidades generosas do ser humano —, *Kultur* era o contrário da noção de *civilização* (também em vigor desde o século 17) e consistia naquilo que era especificamente alemão, naquilo que distinguia esse povo e essa nação dos demais; em termos mais amplos, na *Kultur* residiria o *gênio* nacional de um povo, sua profundidade, sua espiritualidade. A cultura de um lugar não deveria ser vista como a soma de tudo mas apenas do específico daquele lugar: não o universal, mas o particular; cultura não era *o todo de todos* mas o relativo a um grupo, com a implicação de que cada cultura revestia-se de um atributo a ela relativo.

A IDEIA NACIONAL DE CULTURA

Obviamente, quando no início escrevi que nem tudo é cultura e que apenas parte do todo pode ser dito cultura, não me referia a essa concepção particularista da cultura; o alcance de minha proposição inicial é, antes, este: nem tudo, *embora dentro de uma mesma cultura* (uma cultura nacional, por exemplo), é cultura. A concepção particularista de cultura pode levar, em casos extremados (mas quase tudo hoje, neste início de século 21, assume tons extremados...), à conclusão de que *esta* minha cultura é, em si mesma e por si mesma, como um todo, boa ou que ela é melhor do que *aquela* outra cultura, a cultura dele, a cultura *desse aí*, em si mesma ruim ou pior — com seus corolários previsíveis: a de que esta cultura, por acaso a minha, deve eliminar aquela, a do outro. As associações que se fazem entre cultura nacional e identidade, associações quase todas não apenas estéreis

[6] Em um livro publicado postumamente, em 1832, *Sobre a filosofia da religião*, e traduzido para o inglês em 1835, Hegel (1770-1831) descreveu um "espírito nacional" (Volksgeist, literalmente, "espírito do povo") específico" como sendo o conjunto dos elementos de sua religião, constituição política, ética social, ordem jurídica, de seus costumes, sua ciência, arte e aptidões técnicas, aquilo que hoje recebe o nome de tecnologia. Estas são as mesmas palavras que quarenta anos depois se encontrarão em Tylor, numa operação que passava a atribuir à cultura ampla ou etnologicamente entendida aquilo que em Herder e Hegel vinha como atributo de um povo nacional específico. A consequente identificação entre cultura e nacionalidade não deixou de apresentar tristes consequências.

como nitidamente (para dizer o menos) contraproducentes, resultam desse entendimento particularista da cultura que tem como um de seus focos os intelectuais alemães do século 18, e apesar de toda sua produção sob tantos outros aspectos interessante.

Culturas, não a cultura

O relativismo cultural que hoje se conhece deriva indiretamente daí e, diretamente, das proposições de Franz Boas (1858-1942): cada cultura tem um valor próprio a ser reconhecido, um *estilo* específico que se manifesta na língua, nas crenças, nos costumes, na arte e que veicula um *espírito* próprio (a identidade), cabendo ao etnólogo estudar *as culturas* (não a Cultura) e, mais do que verificar *em quê* consiste uma dada cultura, apreender o elo que une um indivíduo a uma cultura. O conhecimento desse elo — sua estrutura, seus limites, seu alcance — é importante para a política cultural , não porém (*não mais*, em todo caso) com o objetivo habitualmente identificado nesse empreendimento e que é aquele de *reproduzir* esse elo, reforçá-lo, preservá-lo, conservá-lo, restaurá-lo. Em todo caso, não apenas com esse objetivo, como se verá mais adiante. É que essa modalidade de operação com o cultural conduz quase inevitavelmente, na história mais remota como na mais recente, a políticas normativas (*o que é* e *como deve* ser uma cultura) quando o que de mais proveitoso se poderia fazer seria a elaboração de *estudos descritivos* de uma cultura *na condição em que ela se encontra agora*, não *como ela foi* e muito como menos como será ou *deverá e deveria ser*. Os entendimentos normativos da cultura desembocam inelutavelmente na concepção da *cultura como um estado* (como uma estação, uma permanência, no limite uma estagnação), portanto na *cultura como um dever ser* — e daí derivam todas as tragédias ("a cultura ariana é isto", "a cultura burguesa é aquilo", "a cultura operária é isso", "a cultura brasileira é tal e somente tal") — quando a meta que se propõe com dignidade é a da *cultura como ação*, a cultura aberta ao *poder ser* no sentido de *experimentar ser* uma coisa ou outra e experimentar ser uma coisa *e* outra, livre de toda restrição ou imposição. A tragédia mora aí: na passagem, na redução da *cultura como ação* à *cultura como estado*. Aliás, a noção contemporânea de *ação cultural* é condizente com a visão mais ampla da *cultura como ação*: o objetivo da ação cultural (a meta de toda política cultural) é a criação das condições para que *as pessoas inventem seus próprios fins*. Algo mais fácil de falar que de fazer, sem dúvida. Que Estado moderno ou contemporâneo aceita uma política cultural assim definida? Poucos, se algum. Pelo contrário, as políticas culturais públicas têm preliminarmente definidos desde logo, na maior parte do tempo para a maior parte dos territórios nacionais, *os fins* a serem perseguidos pelas condições para tanto

Cultura como estado, cultura como ação

estruturadas, *quem* deve ou pode persegui-los e *como* (por exemplo, os fins devem ser os da "cultura popular" ou da "cultura regional" ou da "cultura nacional" ou da "cultura ariana" ou da "cultura proletária" ou os desta ou daquela cultura étnica ou desta ou daquela *cultura de gênero*, como hoje eufemisticamente se diz quando a intenção é referir-se aos sexos ou às opções sexuais; e quem deve buscar esses fins são estes ou aqueles, ou esta e aquela classe social, e deste ou daquele modo). Retornando, é da passagem e da redução da *cultura como ação* à *cultura como estado* que se produzem as tragédias culturais, existenciais, pessoais e coletivas (os conflitos étnicos no Kosovo, por exemplo). E muitos dos estudos antropológicos, etnológicos e sociológicos frequentemente contribuem para essa tragédia ao proporem descrições culturais que se apresentam elas mesmas (explicitamente ou que como tais se propõem ou permitem serem consideradas) como programas de *reprodução cultural*, isto é: *esta* cultura estudada *nestas* condições e *neste* tempo *assim* se mostra, *assim é*, e portanto *assim deve ser*. Por vezes, esse tipo de enfoque nesses estudos é intencional: esse é o partido assumido conscientemente pelo pesquisador. Outras vezes, esse quadro surge como consequência do *método* empregado: a cultura como ação deveria ser apanhada, estudada por um *método em ação*, por um método-ação; ora, os métodos geralmente são um *estado* e o conflito entre eles e seu objeto, quando esse objeto é uma ação, torna-se inevitável. Deixar visível a *cultura como ação* requer um esforço metodológico suplementar, algo que frequentemente não se consegue e que ainda mais frequentemente não se quer conseguir...

A CULTURA NO PRESENTE

Numa linha que se não é contínua à de Boas lhe é em todo caso paralela, B.K. Malinowski (1884-1942) faz uma proposta de trabalho proveitosa para os que além de compreender o processo cultural pretendem atuar sobre ele. Adotando uma análise funcional da cultura, Malinowski sugere que se deve entender uma cultura no presente, no seu presente, e não remontar a suas origens ou àquilo que se presume serem ou terem sido suas origens — operação esta ineficiente e no fundo sem base pois o que nesse caso se propõe como origem de uma cultura não é um objeto suscetível de prova científica. Cada costume, cada prática, cada crença tem uma certa função ou tarefa a cumprir num dado quadro cultural e é isso que o estudo deve captar se a intenção for facilitar o processo de transformação cultural (supondo, por certo, que a transformação é não apenas inevitável, como o demonstram os atuais tempos globalizados, como desejável).

A abordagem funcionalista da análise cultural centrada no presente é a única que o pesquisador, antropólogo ou outro, pode realizar de modo objetivo ou tão objetivo quanto possível — a única, cabe acrescentar, à qual se pode recorrer "com objetividade" numa situação de ação cultural. A única que, objetivamente, *faz sentido*. Uma correção, não desimportante, pode ser agregada à demonstração de Malinowski: do ponto de vista de quem se preocupa com a política cultural, a função de um dado componente cultural não deve ser interpretada de modo a fazer pensar que um certo efeito cultural só possa ser obtido com *esse* componente e com sua *reprodução* (o que leva, por exemplo, ao privilégio concedido à tradição cultural como fonte primeira de uma política cultural e instrumento central do que se convenciona chamar de patrimônio cultural). Mais de um caminho se abre para que se alcance um determinado efeito cultural, se essa for a questão.

PASSADO E MANIPULAÇÃO

A sugestão de Malinowski mostra-se ainda mais central para o estudo da cultura quando se pensa que muito (ou tudo) daquilo que se localiza nas "origens" de uma cultura, em seu passado, e ao que se dá um peso extraordinário, resulta na verdade de uma invenção quase sempre mais recente do que se admite. É essa a advertência do contemporâneo Eric Hobsbawn (nascido em 1917) em outro texto vitalizador dos estudos de política cultural[7]. Tradições são frequentemente bem menos tradicionais do que se fazem parecer, quando não puramente inventadas. Transformadas em coisas mais antigas do que de fato são ou simplesmente inventadas de cabo a rabo, essas tradições apresentam-se sempre como uma estratégia do poder (político, religioso, cultural) para manter-se e justificar-se ao inculcar valores que supostamente se repetem (que são valores porque se repetem e que se repetem porque são valores) e que alegadamente estabelecem uma continuidade com o passado (imaginado, mais que imaginário) que, por algum motivo, interessa a esse poder). O que frequentemente se procura com o recurso a essa tradição, e ao passado de modo mais amplo, é não apenas manter as coisas como estão (o efeito de *invariabilidade* de que fala Hobsbawn) como *recusar espaços ao novo* que, como tal, em princípio não apenas escapa ao controle do poder interessado como o contesta. Os exemplos dessa manipulação são por demais conhecidos; bastaria lembrar a insistência com que a política cultural da mais recente ditadura militar brasileira (1964-1984) procurava privilegiar o passado histórico colonial, de origem portuguesa, como fonte de valor a ser reconhecido, preservado e privilegiado pela correspondente política cultural patrimonialista. De fato, nem as tradições são tão antigas quanto parecem (portanto, sem

[7] Eric Hobsbawn e Terence Ranger (orgs.), *A invenção das tradições*, São Paulo/Rio de Janeiro: Paz e Terra, 2002.

a densidade identitária que lhes é atribuída), nem são sempre sequer verdadeiras. Nem se fossem antigas e verdadeiras deveriam ser tomadas inelutavelmente como vetores privilegiados uma vez que, lembra Malinowski, frequentemente não se tem acesso ao que "objetivamente" foram. (O saiote escocês, ao contrário do que se pensa, não é milenar, portanto não carrega nenhum valor trans-histórico; de modo análogo, a calça bombacha dos gaúchos não se vincula a nenhuma prática histórica intrínseca e específica dessa cultura mas a um acidente da história: uma encomenda não honrada por um outro país levou àquela parte dos pampas um lote de calças desse tipo, num caso de "tradição" surgida apenas do preço conveniente que tinham as tais calças; a proibição de comer carne de porco em alguma religião se deve a uma circunstância histórica — pequena ou nenhuma capacidade de bem conservar os alimentos por parte da comunidade envolvida —, não a um valor moral durável; as casas brancas de Ibiza, na Espanha, têm essa cor porque num certo momento histórico tiveram de ser *caiadas* como forma de combater uma epidemia mortal, não se constituindo em nenhum padrão estético ou cultural intrínseco da comunidade e próprio dela). De resto, nem mesmo os costumes "autênticos" podem se dar ao luxo, na expressão de Hobsbawn, de permanecerem invariáveis — porque a vida não permanece invariável, sequer nas sociedades tradicionais. Nessa perspectiva, a insistência em valores históricos "próprios", a serem valorizados porque exata e unicamente "históricos", revela um assombroso desconhecimento da dinâmica cultural ou, em outro caso, a intenção consciente de manipular a cena de uma cultura, de uma comunidade. Esses são outros tantos motivos para centrar o foco dos estudos culturais no *presente*, com a intelecção ou correção histórica pertinente.

A questão, como se percebe, não é tanto o fato de um componente cultural ser inventado ou "real", objetivamente determinável ou não, recente ou antigo. Uma cultura se faz também sobre uma construção convencional, sobre uma invenção — de fato, quase sempre se faz predominantemente sobre uma invenção ou tanto com as invenções quanto com qualquer outra operação. E essa invenção pode ser recente ou menos recente, e pode resultar de uma visão objetiva ou não; a questão não é essa. A questão está na tentativa de atribuir-se ao passado um valor único, especial, privilegiado como fato ou dado cultural (o valor da verdade) — e um valor especial quando o fato ou objeto que comporta é comparado a outro, presente, que já surgiria, por essa condição, diminuído. A "cultura popular", entidade cada vez menos precisa em sua conformação, costumava e ainda hoje costuma ser apresentada, em alguma política cultural, como portadora de valores históricos essenciais, isto é, tradicionais, antigos e portanto verdadeiros. (A cultura erudita também veicula valores históricos, tradicionais; mas a cultura popular supostamente agrega a seus produtos um valor *nacional* específico nem sempre, também por presunção, presente ou facilmente reconhecível na erudita e que daria à popular um segundo valor adicional e definitivamente preferencial; mas essa é outra discussão...). Nessa interpretação, o aspecto moral ou como tal visto ("o tradicional é melhor, mais justo, mais autêntico, mais nacional, mais próprio desta ou daquela classe, mais humano, mais generoso, mais enraizado") sobrepõe-se ao funcional (no entanto, responsável em última instância por aquilo que se diz procurar alcançar com a política de marca tradicional), quando não o elimina. No que se refere ao lugar de destaque aberto à cultura popular, seria interessante investigar se a noção de que é mais estável, mais duradoura (e portanto mais antiga, mais "histórica") que as outras já estava presente nos estudos culturais desde seus primeiros instantes ou se neles se introduziu *a posteriori* em virtude de construções teóricas mais abrangentes que requeriam a afirmação dessa qualidade embora contra as evidências disponíveis. Seja como for, a insistência nessa tese no início do século 21, quando não mais é possível defender a invariabilidade sequer dos costumes, apenas pode apontar para a permanência de ideias empedradas e emparedadas (assim é a ideologia) a respeito de uma dada realidade social ou para o desejo de distorcer essa realidade com o objetivo de alcançar um poder (político efetivo ou simbólico) e mantê-lo. Cultura popular hoje, no Brasil, é acima de tudo a televisão, algo que em princípio, supostamente, os defensores da política cultural popular tradicional não pretenderiam apoiar, sobretudo porque a cultura da televisão é também a cultura do mercado ao qual se pensa que a popular se opõe... (A distorção, intencional ou por ignorância, costuma aliás ser a regra neste campo; o caráter nacional do popular é uma dessas deslocações, e uma dupla deslocação, uma vez que o nacionalismo tem sido na história uma invenção antes requerida pelos setores medianos da população, a chamada classe média, muito mais do que proposta e exigida pelas chamadas camadas populares.)

A menção aos costumes recoloca a discussão na trilha do que, afinal, é ou não é cultura em situação de política e de ação cultural, daquilo que pode prioritariamente receber a atenção de uma política cultural voltada para o desenvolvimento humano e, subsidiariamente, para o desenvolvimento sustentável, termos nos quais hoje se costuma colocar essa questão. A partir da segunda metade do século 20 intensificou-se em certos setores uma tendência anti-intelectualista que se apresenta sob o disfarce de um antielitismo e se materializa, entre outras coisas, na defesa da tese de que não apenas haveria em cultura outros fenômenos a merecer atenção além daqueles configurados nas obras culturais *de prestígio* (literatura, artes visuais, música erudita etc.) como se apresenta também na insistência em que essas obras seriam mesmo *menos* respeitáveis ou válidas que as outras que lhe seriam opostas (a cultura dita de rua, o folclore e, a grande novidade, a cultura de massa: histórias em quadrinhos e telenovelas que passaram a consubstanciar, não apenas no gosto do público como nas críticas intelectuais, a quintessência da cultura da época). Retorna-se então ao ponto de partida: nem tudo é cultura. O ponto de apoio para seguir adiante na discussão é, agora, Pierre Bourdieu (1930-2002), cujas opiniões políticas e cujo combate político-cultural são por demais conhecidos para que seja ele desqualificado como ideologicamente suspeito. Bourdieu é outro dos que raramente se servem do conceito antropológico de cultura, essa *ideia feita* que não termina de esfumar-se, aspecto nele tão mais notável quando esse sociólogo francês não estudou apenas a cultura contemporânea de uma sociedade avançada como a francesa mas também sociedades ditas tradicionais como a kabila. Sua preferência conceitual é pela acepção restrita da cultura, referente ao domínio que, para simplificar excessivamente, é aquele das artes e das letras, como Bourdieu escreve em *Le sens pratique*[8]. Haverá, em seu edifício intelectual, um motivo específico para tanto: como sociólogo da cultura, quis investigar os mecanismos sociais presentes na origem da criação artística e no processo de consumo da cultura nos diferentes grupos sociais. Mas, o fato é que assim fazendo Bourdieu procedeu a uma distinção entre a cultura e, em sua palavra, o *habitus* que se revela particularmente estimulante para os estudos da cultura propriamente dita e da política cultural. *Habitus*, para Bourdieu, é o conjunto de disposições duráveis e transportáveis (noção, esta de transportabilidade, de alto rendimento para a intelecção da dinâmica cultural contemporânea, como se verá a seguir) que se apresentam na condição de estruturas estruturadas a funcionar como estruturas estruturantes, ou princípios geradores e organizadores de representações (práticas) independentes de uma apreensão consciente dos fins que buscam e independentes de um domínio manifesto das operações requeridas para a persecução desse fim. Essas disposições se formam e se adquirem através de uma série de condicionamentos produzidos por

CULTURA E *HABITUS*

[8] Paris: Éditions Minuit, 1980.

modos de vida determinados e são como a materialização, a corporificação da memória coletiva reproduzindo nos descendentes aquilo que foi adquirido pelos antepassados. O *habitus*, na expressão de Bourdieu, é aquilo que permite ao indivíduo e ao grupo "perseverar em seu ser" — ainda que disso o indivíduo e o grupo não tenham consciência. Permite-lhes ainda, o *habitus*, orientar-se no espaço social no qual estão presentes (evito aqui expressões "espaço social ao qual pertencem" ou "espaço social que os inclui", por motivos óbvios) e gerar estratégias antecipadoras de ação individual e coletiva, elas mesmas orientadas por esquemas inconscientes (e o papel do imaginário e da antropologia do imaginário, aos quais Bourdieu no entanto permaneceu relativamente impermeável, jogam papel destacado aqui) que resultam da educação e da socialização disponibilizadas. É esse *habitus*, ainda, o responsável pela "naturalização" de traços característicos desse indivíduo ou grupo, quer dizer, por apresentar como próprios e, não raro, inelutáveis (porque *naturais*, *tradicionais*), um conjunto de atitudes, comportamentos, ideias, reações, expressões etc. É ainda o *habitus* que explica a homogeneização do gosto — o gosto, esse tema central na cultura e na política cultural no entanto delas ainda marginalizado — e torna compreensíveis e, mais que isso (importantíssimo para "o mercado cultural" mas, coisa que se diz menos, também para a ideologia e a manipulação ideológica), *previsíveis* as preferências e as práticas de cada uma das pessoas componentes desse grupo e do grupo ele próprio.

Por esse ângulo, o *habitus* surge primeiro como aparentemente inelutável e, depois, como necessário ou, em todo caso, valioso. É ele que ancora o indivíduo e o grupo *a alguma coisa*. O problema, antes de mais nada, tal como surge nos estudos ideologizados de cultura e em certas propostas de política cultural, é a resultante valorização dessa *alguma coisa* quando o dado a privilegiar é o *elo* entre o indivíduo e o grupo e essa *coisa*, a natureza desse elo, sua etiologia, o motivo pelo qual ele existe e funciona. A devida apreciação desses aspectos eventualmente revelaria a dispensabilidade dessa *alguma coisa*, passível de ser substituída por *outra coisa*, talvez até inteiramente diferente da anterior mas que cumpriria a mesma *função* (a proposição de Malinowski ainda mantém toda sua carga de estimulação intelectual); nessa linha, alguma coisa considerada tradicional, histórica, antiga e como tal depositária de um valor particular poderia na verdade ser substituída por outra de natureza distinta (de curta vida, nova, admitidamente inventada) mas que asseguraria a mesma funcionalidade no quadro de necessidades ou desejos do indivíduo ou grupo. E é isso que muita política cultural deixa de lado em suas considerações, por ignorância ou distorção ideológica.

Mas, se o *habitus* tem algum lado positivo, ele não vem desacompanhado de um vasto cenário negativo, numa formulação paradoxal no entanto própria da cultura e da qual ela não poderá libertar-se jamais, ao que tudo indica. Felizmente, é preciso acrescentar: é daí que provém sua vida. Mesmo antes de conhecer essas formulações de Bourdieu já era para mim uma evidência que o hábito cultural — em português mesmo e nessa expressão que a rigor, nas pegadas de Bourdieu, constitui uma contradição nos termos —, é um dos principais entraves para o recurso à cultura como instrumento de desenvolvimento humano. Já que Bourdieu recorreu à expressão latina, será interessante verificar o que ela contém de sentido próprio em sua cultura de origem, de modo a ampliar a compreensão do que o termo traz para esta cultura de agora. Que o recurso de Bourdieu à palavra latina não foi aleatório, ocasional e desinformado mostra-o o fato de, no *habitus*, privilegiar ele a ideia de *disposição do corpo* (a *hexis* corporal, sendo *hexis* a palavra grega da qual *habitus* é a versão latina), noção de fato envolvida na acepção latina da palavra e que Bourdieu emprega para explicar o estilo próprio de um indivíduo ou grupo no entanto submetido a um dado *habitus* (cada um, por seus gestos e posturas, revela inconscientemente o *habitus* profundo que o constitui mas o revela tal como esse *habitus* é por ele representado). E em latim, então, a palavra *habitus* já contém uma série de sentidos antitéticos, transmitida *embora inconscientemente* de geração para geração e de uma língua de extração românica para outra língua de extração românica. *Habitus* é o tido, o havido, o possuído mas é também o que é recebido, o que é tratado e recebido tal como foi tratado (por outrem, isto é). Em latim, se o *habitus* pode ser neutro (um bom hábito ou um mau hábito, um bom trato ou um mau-trato, no sentido em que por exemplo se diz de um cavalo que ele é mal tratado), ele é ora francamente positivo ("a coisa útil à República", como aparece em Tácito: *Publice usui habitus*), ora negativo ou para o negativo tendendo (como em Cícero, que fala de um *Habitus orationis*, ou "enfeite do discurso", quer dizer, aquilo que no discurso é acessório, inessencial). Ainda em Cícero fica evidente que o *habitus* é a facilidade firme e constante para fazer obras, tanto virtuosas como viciosas. Minha própria sensação do hábito cultural como algo particularmente complicado e potencialmente indesejado na prática da cultura, para dizer o menos, pode resultar de uma formação pessoal fortemente enraizada na modernidade, essa modernidade da qual um dos princípios motores é *mudar sempre, fazer sempre de outro modo*: ser de seu próprio tempo muito mais, muito acima e muito antes de ser do tempo do

DISPOSIÇÕES ANTI-*HABITUS*

outro e do outro que passou, como na concepção de inúmeros poetas (Rimbaud, Baudelaire), ou ser um *contemporâneo histórico de si mesmo* e de seu tempo muito mais e muito além do que ser simplesmente um *contemporâneo filosófico de seu tempo* (o que significa, neste segundo caso, compreender conceitualmente seu tempo mas sem vivê-lo existencialmente, como aparece na crítica feita por Karl Marx (1818-1883) a seus próprios contemporâneos e à filosofia alemã de seu tempo). Essa minha disposição, que de início pode ser considerada uma *disposição estética*, duplica-se (reforça-se, justifica-se) num segundo momento com os termos de uma *disposição psicanalítica* (não menos moderna, e tipicamente moderna): mudar sempre, não repetir o passado, para não alienar minha personalidade e minha consciência a alguém ou a alguma coisa que passou e que me são estranhas, quer dizer, a essas estruturas estruturantes de que fala Bourdieu; em outras palavras, mudar sempre, repelir o hábito, para que eu não viva inconscientemente a vida de uma outra coisa, de um outro tempo, de uma outra pessoa, de uma outra estrutura, para que eu não use de modo inconsciente (de modo *não-proprietário*), por exemplo, a linguagem (a linguagem cotidiana mas também uma dada linguagem artística) — para que eu não use de modo inconsciente a linguagem de outro, para que eu me apodere de minha própria linguagem (no sentido em que Roland Barthes, 1915-1980, falou do homem contemporâneo como alguém que habitualmente *não fala* a língua mas é *falado pela língua*, isto é, como alguém que apenas serve de suporte passivo para um sistema de valores embutido na linguagem habitual que sobrevive e se reproduz por meio do homem muito mais do que se apresenta como elemento ao qual esse homem poderia recorrer para enunciar suas próprias ideias e sensações, que assim quase nunca de fato são suas...). E, finalmente, essa minha disposição duplica-se ainda de uma roupagem filosófica (*disposição filosófica* que será acaso ainda moderna porém, é mais provável, já pós-moderna), aquela pregada por Ludwig Wittgenstein (1889-1951) para quem é *sempre preciso pensar de outro modo*. Se for preciso pensar sempre de outro modo — e é preciso fazê-lo, ainda que para num segundo momento retornar ao modo anterior (mas, depois de pensar alguma coisa sob outro ângulo nunca se retorna exatamente ao mesmo ângulo anterior sob o qual essa coisa era vista...) — o hábito cultural, o *habitus,* torna-se sempre mais irrelevante e impertinente. Não há como ser neutro, equidistante, "científico" ou "relativo", aqui — numa palavra, não há como ser leniente ou condescendente. Montesquieu (1689-1775) foi bastante claro ao escrever um ensaio sobre o *gosto* para a *Enciclopédia* dos iluministas: a primeira obrigação de cada um de nós para consigo próprio é a ampliação da esfera de presença de seu ser , o que se consegue mudando de lugar (viajando), mudando as fontes de nossas sensações (ver uma catedral que não conhecemos, uma pintura que ainda não visitamos, um autor que ainda não lemos), mudando nossos gestos (a *disposição corporal* de que fala Bourdieu e que é um *habitus*), mudando nossas roupas (*habitus* também quer dizer roupa em latim; de resto, Hegel (1770-1831) deixava que seu alfaiate decidisse o que deveria vestir, e um alfaiate, como todos os alfaiates, hoje como à época de Hegel, segue a moda, quer dizer, muda sempre de estilo... e o propõe a seus clientes, mesmo se o cliente for Hegel... que aceitará a sugestão...). Ampliar a esfera de presença do ser, propõe Montesquieu, e não *perseverar no ser*, operação permitida pelo *habitus* no dizer de Bourdieu. Desconheço em que medida Bourdieu leu Montesquieu e até que ponto, se o leu, estava pensando na fórmula do autor de *O espírito das leis* quando escreveu que o *habitus* é modo de perseverar no ser; pode tê-lo lido, pode ter chegado a essa expressão por um caminho autônomo do pensamento; seja como for, sua equação dialoga diretamente com a de Montesquieu e desse diálogo surge distintamente como algo mais aprimorado, mais pertinente e mais estimulante a proposição do pensador iluminista: ampliar a esfera de presença do ser é melhor do que perseverar no ser. Aí está um valor cultural que não pode ser diminuído por nenhuma proposição relativista. O que persevera no ser, no mesmo ser, no ser sempre idêntico, é acima de tudo, em termos de estruturas estruturantes, a religião (e quanto mais fundamentalista, mais o fará), o partido político (e quanto mais fundamentalista, mais totalitário, mais insistirá nessa via) e a educação (e quanto mais técnica, e mais "social", mais o fará), motivo pelo qual suas formas se revelam tão incompatíveis com a contemporaneidade (com esta pós-modernidade). Nesse cenário, a única e talvez última instituição que pode assegurar a ampliação da esfera de presença do ser, ao estimular um pensamento que procura pensar sempre sob outro ângulo (ainda que para experimentar hipóteses), é a universidade, quer dizer, a universidade de pesquisa, a única que merece o nome. A universidade de pesquisa, porém, nos países subdesenvolvidos, que dela mais precisam, é espécie em extinção, uma situação provocada por governos de todas as colorações políticas (dos neoliberais que não querem gastos sociais aos progressistas ou reformadores ou revolucionários que na universidade não vêem uma prioridade ou a temem), desprezando olimpicamente o interesse maior da coletividade em cujo nome dizem atuar. Como a universidade se extingue nesses países (e em outra e

AMPLIAR A ESFERA DO SER

ainda menor medida, nos demais também), o outro recurso contra a mesmice e a inconsciência (na verdade, o primeiro recurso numa lista hierarquicamente organizada) é a arte — e à arte se retornará mais adiante.

O que importa, então, como motivador e objeto dos estudos de fato culturais e como motivador e objeto das políticas culturais, são, para retomar a expressão de Pierre Bourdieu, as *obras culturais*, as *obras de cultura*, e não o *habitus*, o que é outro modo de afirmar o caráter não inclusivo da cultura: nem tudo é cultura, tudo não é cultura; do todo constituído por aquilo que a antropologia costuma apresentar como próprio da cultura, o *habitus,* neste enfoque, não interessa prioritariamente; quando se retira do conjunto de atos, atitudes, comportamentos, ideias, crenças, práticas e representações, aquilo que configura o *habitus*, o que resta é a cultura.[9] Claramente, a presença do *habitus* é determinante para que a cultura se mostre como aquilo que pode ser: uma ampliação da esfera de presença do ser. Se a esfera de presença do ser não estiver delimitada, não tem como ser ampliada. Mas, como não é certo que cultura e *habitus* entrem numa síntese dialeticamente operativa em que um se anula no outro a caminho de um terceiro diferente de ambos, como supunha uma teoria da cultura de extração oitocentista, e como cultura e *habitus* tendem a existir um ao lado da outra com graus variados de interferência recíproca, a ênfase será para as *obras de cultura*, não para o *habitus*. De resto, o *habitus* de Bourdieu não é, aliás, como na concepção de Hobsbawn para o *costume*, de todo invariante[10]. O *habitus* não se apresenta sempre como um sistema rígido de disposições que determinaria de modo mecânico as crenças, atos, práticas dos indivíduos e grupos, disposições que tampouco assegurariam de modo igualmente mecânico a reprodução social entendida de maneira direta; condições de momento, sociais e outras, pessoais e outras, podem influir sobre o *habitus*. De outro lado, só as condições de momento, sociais ou outras, pessoais ou outras, não explicam totalmente o *habitus*: para fazê-lo será necessário remontar no tempo, revirar os porões dessa *memória coletiva* que conforma o *habitus* tanto quanto é por ele conformada. De um modo ou de outro,

[9] A formação, a construção, a aquisição, provavelmente no melhor sentido da palavra *Bildung*, outra palavra para cultura no código alemão.

[10] O patrimônio cultural, também designado pela expressão patrimônio histórico, é nitidamente um *habitus*. E um *habitus* que, mais que os outros, se pretende, este sim, imutável. Tanto assim que deve ser não apenas preservado como restaurado... O patrimônio é, ele também, objeto da política cultural. Sua preservação como elemento contrastante à cultura (sua função é a de mostrar à cultura para que lado deve ampliar-se a esfera de presença dos seres), e nada mais do que isso, é algo que deveria ficar bem claro. Isto, no entanto, ainda é outro anátema cultural...

a confrontação do *habitus* — *se* o objetivo da cultura for a ampliação da esfera de presença do ser; mas *é impensável* que possa ser outra coisa, como a insistência na perseverança do ser, que não precisa de nada nem de ninguém para cuidar de si mesma, inclusive nestes tempos chamados de globalização: para a perseverança do ser não se requer uma política cultural, não na medida em que ainda hoje se imagina que isso seja — só pode ser feita pela cultura, com as obras de cultura. Por certo, mesmo as obras de cultura não são imunes à ação do *habitus*, pelo menos do *habitus* próprio a seu território específico; no entanto, a capacidade e a disposição que têm (quando comparadas ao *habitus*; quando comparadas à arte, é outra história, como se verá) para reverem-se a si mesmas e contestarem por dentro o sistema a que pertencem, embora por disposição contratual e pelo menos desde a modernidade, coloca-as como o recurso decisivo (depois da arte) para a necessária confrontação do *habitus*. É evidente que, como a cultura é um processo e não um estado, aquilo que num determinado momento histórico é cultura, em outro pode transformar-se em *habitus*, a ser confrontado por nova proposição cultural. Este encaminhamento da discussão leva a que se acrescente agora uma pequena precisão à ideia inicial de que toda ação cultural, como instrumento de uma política cultural, trata de criar as condições para que as pessoas inventem seus fins. O acréscimo diz respeito à necessidade de criarem-se as condições para que se inventem fins capazes de permitir a ampliação da esfera de presença do ser, não que conduzam à estagnação desse ser. Cabe aos que forem servidos por essa política a tarefa de inventarem-se os meios e os fins orientados por esse objetivo. Esse poderia ser um princípio da ética da política cultural, do lado dos que a formulam e implementam e do lado dos que são por ela servidos.

A CULTURA COMO INTERAÇÃO

O papel negativo que o *habitus* representa no processo cultural mais amplo (papel que no esquema de Bourdieu não será tão negativo quanto aqui se desenha mas que mesmo assim é suficientemente específico para ser posto em destaque e em comparação com o papel das *obras culturais*) pode ser diminuído ou relativizado se o prisma a adotar na reflexão sobre a cultura for o da linhagem interacionista de Edward Sapir (1884-1939)[11]. Para o interacionismo de Sapir, "o verdadeiro lugar da cultura são as interações individuais". A cultura não estaria num lugar específico — nas obras de cultura ou no comportamento e nas formas de lazer — mas num jogo que não se detém. Seu entendimento da cultura não é substancialista (não há uma essência da cultura localizável *a priori*; e assim como ocorre nas artes plásticas

[11] *Anthropologie*. Paris: Minuit, 1967 (edição original norte-americana de 1949).

pós-modernas, que passam a dispensar o objeto para existir, também a cultura é *desobjetificada*: dispensa um objeto específico, como uma pintura ou uma arca velha); o que se pode chamar de cultura é um processo, uma elaboração contínua, feita pelas pessoas, e antes poderia ser chamada de *o cultural* do que propriamente de *cultura*. Partindo desse princípio, a chamada "escola" de Palo Alto, durante os anos 50 do século 20 (Gregory Bateson, 1904-1980, é um nome expoente aqui), desenvolve uma antropologia da comunicação envolvendo tanto a comunicação verbal tradicional como a comunicação não verbal que, nos anos 60 daquele mesmo século, se transformaria em objeto prioritário de estudo. Nesse esquema, a comunicação não é vista como uma relação entre uma fonte (emissor) e um receptor, como nos já clássicos modelos de estudo da comunicação, mas como um processo de tipo orquestral no qual alguns indivíduos se reúnem para tocar juntos, ao redor de uma partitura ou de improviso, numa situação de interação onde tanto o conjunto como cada um de seus participantes fará uma interpretação particular do tema que poderá ser menos ou mais análoga a uma outra já feita anteriormente. Embora uma partitura, um guia, uma trilha possa estar ali, o resultado — a cultura — só existirá graças à interação performática dos participantes. O sentido da cultura será aquele que lhe for impresso pelos participantes. Cada contexto de "execução", de *performance*, terá suas regras e convenções, pressuporá expectativas e capacidades distintas de cada um dos que se apresentarem para tocar e provocará um resultado específico. A cultura se mostra, neste quadro, como uma entidade instável por natureza e que se materializa fenomenologicamente a cada execução. Os contrastes entre cultura e subcultura ou entre cultura superior e cultura popular podem aqui teoricamente esfumar-se e nesse desenho assume um papel preponderante aquilo que se revela ser a cultura local do grupo, para este eventualmente mais significativa que a cultura ampla que se desenvolve ao largo dessa comunidade.[12]

O entendimento da comunicação interativa é estimulante mas não chega a abolir de todo esquemas como o de Bourdieu. Queira-se ou não, para o que há de bom nisso e para o que há de mau nisso, a cultura também se formaliza, se cristaliza, independentemente de uma dinâmica que lhe dê sentido corrente, em *lugares* ou *topos* (mesmo imateriais) bem determinados, como o museu, e em objetos e proposições sobre cujo significado o indivíduo e o grupo têm influência apenas reduzida e, quando a têm, a têm sob um ângulo marcadamente particular, privado, individual, sem ascendência sobre o outro universo

[12] Ver, no cap. 3, as distinções entre cultura objetiva e cultura subjetiva.

privado que existe a seu lado, no caso do museu, na forma de outro visitante ou de outro grupo de visitantes. Em outras palavras, o campo de intervenção de cada participante desse tipo de processo é o da interpretação pessoal, que poderá variar amplamente sem que no entanto a situação aí gerada chegue necessariamente a apresentar-se sob a forma do arranjo orquestral idealizado pela escola interacionista. E, por demais óbvio, mesmo a capacidade de orquestração não deixa de colocar-se sob a influência de *habitus* variados que a predeterminam para muito além do que pode pensar a ilusão de que se está participando de uma construção inteiramente nova. Mesmo *se* ou *quando* essa orquestração ocorre, prevalece ainda o entendimento de que a meta do arranjo orquestral considerado deve ser a da ampliação da esfera de presença do ser, coisa que, num contexto comunicacional, se vê mal como poderia limitar-se às fronteiras do *local*. O processo é demasiado complexo para ser abordado aqui em todas suas nuances, por certo. A submissão a um determinado *habitus* (de conteúdo ou de forma) pode não impedir por si só e em si mesma que a simples experiência de atualizar, de dar vida a uma determinada configuração cultural ou "cultural" preexistente, seja decisiva e ampliadora para os indivíduos envolvidos, para todos eles ou para alguns deles, pelo menos para um deles. Não há como esquecer, porém, o fato de que a função do *habitus* é reproduzir, reafirmar uma esfera anterior do ser e que essa reafirmação deve incluir a conformação dos indivíduos a ela submetidos. A ideia de que a interatividade se desenvolve num campo livre de determinantes é por demais ingênua, ainda que se deva destacar a possibilidade que tem o receptor de fazer, com o que lhe é de algum modo passado a título de cultura, algo que não estava previsto na partitura inicial. O fato de que isso acontece, e inclusive com alguma frequência, não elimina, no entanto, a marca repetitiva e reprodutiva de certos modos culturais ou que assim são chamados por inércia intelectual (o esporte, as festas tradicionais), levando a discussão ao ponto de partida: para a política cultural e para os estudos de cultura que a querem alimentar, provavelmente os únicos que não se contentam com analisar a cultura e querem investigar como se pode estimulá-la para que se alcance o maior desenvolvimento humano, nem tudo é cultura. A barbárie não é, a repetição não é, a manutenção do mesmo não é.

A distinção entre obras de cultura e *habitus* é relevante por atribuir à cultura um outro traço, senão outra função, que se torna cada vez mais nítido e adensado ao longo do século 20. O entendimento da cultura como sendo preferencialmente as artes refinadas, as belas artes

Cultura e crítica

como se dizia, o cultivo do espírito, tornou-se limitado se não se apresentar com algum qualificativo adicional. Para que algo seja realmente cultural, o *senso crítico* deve ter, *nisso*, uma presença marcante. A cultura surge outra vez, então, como sendo de fato *a lâmina do arado*. A cultura não é mais o campo que o homem prepara e do qual extrai uma série de produtos; não é nem o arado que trabalha esse campo, não é nem mesmo o conjunto dessas coisas todas mas é preferencialmente a *lâmina afiada* que penetra nesse campo e o corta e revolve, pondo para cima o que estava embaixo e vice-versa. Ampliar a esfera de presença do ser não é, *em si*, tudo, não basta ou, melhor, não é algo que se consiga apenas com o *ver mais, ver outra coisa, ver muito*. Ampliar essa esfera de presença do ser é algo que só se consegue com *a capacidade de discernir de modo agudo, sutil e rápido entre uma coisa e outra*, entre o que pode ampliar essa esfera e o que a amarra ao mesmo, entre o que pode impulsionar o ser na direção de seu desenvolvimento maior e aquilo que o atrasa, o faz regredir. A fonte dessa especificação é, outra vez, o próprio Montesquieu e sua definição para o gosto. Ele o apresentava de fato como "a vantagem de descobrir com sutileza e presteza a medida do prazer que cada coisa deve dar aos homens". Sutileza e presteza. Rapidez: algo tão mais necessário num mundo em que a proliferação e o acúmulo da informação supera em muito a capacidade média de recepção e reflexão sobre o que se recebe. Não se pede mais apenas a capacidade de reflexão, mas a reflexão que se pode exercer *rapidamente*. Uma capacidade veloz, por dizê-lo assim, e que além do mais deve ser exercida com sutileza: várias coisas podem hoje dar-me prazer e em princípio ampliar a esfera de presença de meu ser; preciso então distinguir com sutileza entre aquelas várias coisas que podem me levar *até lá* com mais proveito, mais intensidade. Que essa capacidade crítica deve permitir-me descobrir a medida do prazer que cada coisa pode proporcionar, é algo a ser bem destacado. Já se superou a primeira, e primária, visão religiosa, no entanto ainda ativa por toda parte, segundo a qual o prazer e a felicidade não são deste mundo e, portanto, o sacrifício e a dor devem ser vistos como inevitáveis e, mesmo, suportáveis e desejáveis em sua condição de instrumentos para apressar a passagem para *o mundo real além*. (O terrorismo de inspiração religiosa — que, claro, é muito mais que isso — é um exemplo nítido dessa crença, como se tornou bem claro depois do recrudescimento da intifada palestina, com seus homens (e agora mulheres e crianças)-bomba levando até Israel sua mensagem de inconformismo, e depois de setembro de 2001.) Já se superou também o primarismo de variados ideologismos de esquerda e direita segundo

Com sutileza e presteza

os quais se deveria suportar a privação e o sofrimento no presente para garantir a construção do bem-estar num futuro a médio ou longo prazo embora nesta mesma vida aqui neste mundo: ficou já suficientemente nítido que o mundo desejável deve ser ao mesmo tempo um mundo factível e factível num lapso de tempo ao alcance de uma vida humana. Não se superou, é verdade, o *terceiro* obstáculo à vida com qualidade aqui e agora (a vida com prazer), representado pela ascendência do social sobre o individual. Obstáculo porque o social não sente prazer, não há possibilidade de definir-se um prazer para o social, para o todo que é a sociedade, razão pela qual com frequência se exclui essa consideração quando se formulam programas sociais, inclusive para a cultura; sobretudo nos países subdesenvolvidos, com carência de real criatividade governativa (ou que se encontram em estado de esgotamento dos recursos políticos de administração social), predomina um *discurso do social* que faz da omissão da referência ao prazer e à felicidade sua tônica central, um pouco por imposição do politicamente correto, outro tanto por uma espécie de admissão implícita de que nem uma coisa, nem outra seriam ainda possíveis, em inadequada e prematura admissão de derrota.

Retornando ao ponto, a ideia de cultura como lâmina é aquela que insiste na rejeição do *habitus* como algo que dela possa fazer *parte dinâmica*. Como componente residual da cultura, o *habitus* terá seu papel. Mas, não é disso que trata a política cultural. Como já foi aqui ressaltado, a adoção de uma perspectiva de intervenção como aquela constante da política cultural altera radicalmente o entendimento antropológico da cultura.

A civilização como modelo

A noção de cultura como crítica ou como contendo uma parte crítica, e não meramente como *habitus*, está na base de um rechaço já perceptível da ideia de cultura como conjunto de traços identitários, de uma coletividade determinada, em favor de uma concepção mais ampla e mais flexível que só pode encontrar guarida, no elenco de termos hoje à disposição, no conceito de *civilização*. Em certos momentos históricos, cultura e civilização foram vistos como sinônimos (caso de Tylor); em outros, cultura entendeu-se como o conjunto mais amplo e civilização como o mais restrito e em outros ainda adotou-se o exato oposto desse último entendimento. Há um outro enfoque que merece hoje mais reflexão do que aquela de que já gozou em passado recente. Para este, cultura é aquele conjunto de que falava, por exemplo, Tylor e que todo agrupamento humano, nacional ou outro, não pode deixar de ter. Já civilização é aquela cultura que se propõe como modelo para outras culturas ou, se como tal não se apresenta e não se pretende apresentar, é aquela cultura que outras culturas procuram de algum modo imitar. Nesse sentido, na história mais ampla da humanidade foram poucas as civilizações: entre elas, a romana, na antiguidade, e a norte-americana ao longo do século 20 a partir da primeira guerra mundial. Insisto num ponto: uma civilização não se impõe, se copia. Não há possibilidade de impor-se pela força um modo civilizatório. Pela força é possível impor o cumprimento de alguns dos princípios rígidos dessa civilização (que por querer impor-se nunca o será de fato), nada além disso. Ainda que se tente difundir uma civilização por todos os meios disponíveis, ela somente será de fato uma civilização caso se *proponha* como *modelo desejável*, isto é, se as pessoas encontrarem em seus traços, e a seu ver, as condições de preparação de uma vida mais adequada, com mais qualidade, que lhes permita um maior ou melhor desenvolvimento de suas capacidades e uma resposta mais adequada a suas necessidades e desejos. Nesse sentido, não se pode falar, por exemplo, numa civilização nipônica, alemã, russa ou soviética: não foram historicamente vistas como modelos desejáveis. É irrelevante determinar se foram bem compreendidas ou não, se "objetivamente" continham ou contêm elementos desejáveis: importante é que não conquistaram o desejo mais profundo de outras culturas. Seria possível por outro lado, a título de exercício, propor que culturas localizadas mostram-se inclinadas a seguir padrões de outras culturas que lhes parecem civilizações ainda que estas não sejam vistas do mesmo modo por outras culturas; no Brasil, por um período em particular entre o final do século 19 e o início da segunda metade do século 20, a cultura francesa surgiu como modo civilizacional indiscutível. Algo semelhante ocorreu no Egito em relação a essa mesma cultura, sem que ela no entanto chegasse a apresentar-se como um modelo civilizacional global com as mesmas dimensões da romana em seu momento e da norte-americana agora. Fala-se, ainda, desde o ponto de vista de um *modo de vida* (de qualidade de vida) numa *civilização europeia,* quando na verdade o que se tem em mente é a civilização de uma parte da Europa, quase sempre e quase unicamente a parte mediterrânea da Europa — civilização dificilmente imitável porque seus componentes físicos, geográficos, são "duros" demais, localizados demais, motivo pelo qual se diz que se trata de uma civilização com o valor de um vetor utópico para várias culturas (meta a perseguir porém nunca materializável) ao passo que a civilização norte-americana revela-se implementável em outras terras em sua característica de civilização transportável, móvel, mole, mais ainda do que o foi a romana...

Embora se procure evitar esta discussão, o que está por trás desse fenômeno de cópia de um modo de vida é a ideia ou sensação de superioridade de uma cultura em relação a outras, pelo menos sob alguns aspectos. E é esse sentimento que hoje põe em xeque, mostrando suas limitações, o conceito de cultura como podendo dispensar, para entender-se o que se passa nesse campo, o recurso à ideia de civilização[13]. No mínimo, torna-se inevitável constatar que a cultura mostra-se como o outro lado da civilização, e como o outro lado quase necessariamente negativo da civilização, o outro lado *em negativo* da civilização assim como se fala no positivo e no negativo de uma foto — sejam quais forem a cultura e a civilização em questão. Torna-se hoje sempre mais presente a possibilidade de admitir-se não apenas como inevitável mas também talvez aceitável, se não a diluição das culturas, isto é, das culturas locais, nacionais, identitárias, em favor do adensamento de um ideal civilizatório global, pelo menos a íntima convivência física, real, concreta, de umas com as outras — como ocorre no Japão, onde o cultural mais arcaico posiciona-se ao lado do *civilizatório* pós-moderno mais radical, não sem espanto e estranhamento porém sem conflito insuperável. Diluição não quer dizer desaparecimento mas exatamente aquilo que o nome indica em seu significado técnico primeiro: diminuição da concentração de alguma coisa mediante a adição de alguma outra coisa; esmaecimento de alguns tons diante de outros; interpenetração entre uns e outros ao passo em que outros ainda permanecem com seus matizes atuais, em estreita interação com outros tantos. Esse sempre foi o objetivo de muitos internacionalismos, o católico e o socialista tanto quanto o de muitos entendimentos da arte. Enquanto isso não ocorre, o confronto entre culturas distintas (na direção do que uma delas considera uma forma civilizacional mais apropriada, embora contestada pela outra ou outras), não tem como ser negado. A recente promulgação, em janeiro de 2004, de uma lei na França proibindo o uso do véu islâmico nas escolas públicas do país é um reflexo desse conflito de culturas, senão de civilizações, que um certo hábito de pensar politicamente correto procura negar e que configura no entanto uma realidade cada vez

[13] No sentido em que a ideia de civilização sempre inclui a noção de um conjunto de valores em crescimento que levam ao "desenvolvimento do espírito em direção à liberdade", nos termos de J. Burckhardt (e que poderiam ser os termos de muitos outros). Para alguns, o estudo de uma *cultura* deveria estar isento de juízos de valor, de críticas valorativas. Essa é a posição dos relativistas culturais, para quem todas as culturas seriam ou estariam igualmente "corretas", e para os quais a ideia de um *desenvolvimento*, de uma *progressão* do espírito em relação à liberdade é uma ideia complicada ou mesmo inadmissível a não ser no interior de uma mesma cultura e segundo seus próprios termos...

mais palpável. Uma realidade nada nova. Immanuel Kant (1724-1804)[14] em 1784 já observava a presença, na sociedade humana, de um princípio responsável, paradoxalmente, pelo desenvolvimento das capacidades humanas: o *antagonismo*. Por antagonismo, Kant entendia o confronto, no grupo social, das disposições humanas em sua ampla variedade. Outra denominação por ele dada a esse processo foi *insociável sociabilidade*, tendência dos homens para *entrar em sociedade* ao mesmo tempo em que manifestam a tendência inversa de *dissolver* essa mesma sociedade na qual buscam integrar-se. Essa disposição foi por Kant considerada inerente à natureza humana: o ser humano tem uma inclinação para associar-se porque se sente mais humano nessa condição ao mesmo tempo em que tem uma tendência a separar-se ou isolar-se porque encontra em si uma qualidade insociável que o leva a tudo querer conduzir em seu próprio proveito e esperando oposição de todos os lados assim como está inclinado e pronto a fazer oposição a tudo. Esse processo de antagonismo ocorre *no interior* de uma cultura e ocorre com a mesma evidência, se não com intensidade ainda mais acentuada, *entre* culturas distintas. O antagonismo é um dos modos da negatividade cultural ou um dos modos pelos quais a negatividade se manifesta na cultura. Negá-lo em nome de uma visão edênica baseada numa suposta fraternidade inata entre todos os seres humanos, quer essa visão seja alimentada por uma espiritualidade religiosa ou por uma perspectiva ideológica, é dar mostras de um idealismo de todo deslocado, temporal e conceitualmente. O conflito, como prefere denominá-lo Georg Simmel (1858-1918) — e um conflito que não *resolve* os lados opostos numa síntese integradora mas que no máximo acomoda os lados opostos, numa justaposição menos ou mais pacífica — é não apenas inerente ao processo cultural como a força motriz para o desenvolvimento humano, na medida em que isso for possível. Negar o antagonismo, o conflito ou a insociável sociabilidade, dentro de uma cultura ou entre culturas, é negar a cultura e provavelmente querer transformá-la num grande *habitus*. Retornando ao caso francês, na origem da nova lei francesa sobre o véu nos locais públicos republicanos está o repúdio ao que defensores da medida, a maioria da nação como indicam pesquisas de opinião, chamam de *comunitarismo*, outro modo de referir-se às culturas identitárias de grupos minoritários de origem extranacional, para recorrer ao jargão especializado, ou outro modo de referir-se às culturas dos imigrantes, para ir direto ao ponto. A política francesa não procura reforçar os laços comunitários alheios aos princípios nacionais, pelo contrário quer

[14] *Ideia de uma história universal de um ponto de vista cosmopolita*, São Paulo: Martins Fontes, 2003.

vê-los diluídos numa tendência civilizatória mais ampla que, de modo compreensível, essa política entende como sendo a sua própria ou que identifica mais com sua própria cultura do que com outras. O ideal francês claramente não é o do multiculturalismo mas o de um universalismo que funcione como integrador de traços identitários originariamente distintos e que o faça, se não de modo abrangente e total , pelo menos em larga medida. A alegação e motivação iniciais para a nova lei foram o respeito às tradições leigas que, na França, pedem uma república de todo alheia à religião e ao sectarismo religiosos e alheia, sobretudo, ao que podem ser consideradas tentativas de proselitismo (o porte de símbolos religiosos como o próprio véu islâmico, o kippa judaico e a cruz cristã, que fazem propaganda de seus respectivos ideários pelo menos num sentido particular, como entendido pelo legislador francês: "pertenço ao grupo *escolhido* que se abriga sob este símbolo, você não", reconhecendo-se que, nesse aspecto, as religiões funcionam como o contrário das culturas: estas buscam aproximar uns dos outros, apesar do *antagonismo* ou por meio dele, enquanto as religiões decididamente procuram afastar todos de todos, algo de todo inaceitável no espaço público francês). As censuras feitas ao legislador francês por ter-se decidido em favor dessa medida (censuras que iam do alegado desrespeito aos direitos culturais dos imigrantes ao racismo puro e simples contra esses) ignoram que ao assim proceder a França estava reatando com sua própria tradição de universalismo civilizatório que remonta aos séculos 18 e 19, manifesta no debate com os defensores alemães da *Kultur* como se viu anteriormente. E de um modo ou de outro, a decisão francesa põe em evidência o *componente crítico*, ausente do *habitus* (da tradição, dos costumes de uma comunidade seja qual for) que a cultura deve ter para ser como cultura considerada — aqui, um componente crítico pelo menos em relação ao que lhe é estranho (aquilo que vem de fora, de outra cultura) e pode ir contra seus princípios. A obra de cultura de que falava Bourdieu em contraposição ao *habitus* (ele que não viveu para participar do debate sobre o véu) não é então apenas aquela que contém as vagas características da *produção elevada*, do *espírito refinado* mas a que se define também pela sua capacidade de *cortar* o terreno comum das ideias assentadas e de *revolver o solo repisado*, feito de camadas de detritos ali acumuladas passivamente ao longo do tempo, em busca daquilo que possa assegurar o *melhor* desenvolvimento do ser humano e a ampliação de sua esfera de presença, não seu estreitamento. Para buscar esse ideal, uma cultura localizada, identitária e que se quer afirmar sobre as outras, nessa sua forma possível de *reverso da civilização*, não tem condições de apresentar-se como o melhor instrumento.

Esta acepção da cultura como conjunto de representações e práticas que contribui para a formação, o fortalecimento e a manutenção do tecido da vida social de um determinado grupo humano surge com nítida delineação nas palavras de Raymond Williams (1921-1988), para quem a cultura é um sistema de significação pelo qual uma ordem social é vivida, explorada, comunicada e reproduzida[15]. É verdade que quando se dá essa descrição funcional da cultura não se está pensando que há uma parte da cultura, a arte, que, pelo menos a partir da modernidade, não procura assumir esse papel e mesmo o repele antes de mais nada no interior da própria cultura ao qual "pertence" . Mas a esse ponto se voltará mais adiante; por ora se destacará essa compreensão da cultura, de fato predominante desde a segunda parte do século 19 e ao longo de todo o século 20. Das três acepções clássicas da cultura — cultura como as artes, cultura como qualidade de vida ou civilização e cultura como cimento da vida social — é esta última que foi vista (e em parte continua sendo, embora isso já se esteja corrigindo) como a determinante. Em outras palavras, foi tido como mais importante que a cultura funcione antes como elo social, matéria de comunicação e reprodução de uma dada ordem social (donde, e é bom frisar desde logo, o caráter profundamente conservador e mesmo, eventualmente, reacionário de toda cultura, independentemente de seu conteúdo eventual) do que sirva para o aprimoramento da qualidade de vida ou surja como o espaço de estimulação de obras de refinamento do espírito e, menos ainda, de estimulação de obras de refinamento *crítico* do espírito. Quando o que está em jogo é a reprodução de uma dada ordem social, o espírito crítico não é bem-vindo, de modo que, historicamente, nessa perspectiva e segundo seus adeptos, o terceiro sentido de cultura deveria prevalecer sobre o segundo e estes dois, sobre o primeiro. Essa tendência cristalizou-se na formulação de Durkheim (1858-1917), para quem a sociedade (com suas estruturas todas) tem prioridade e precedência sobre o indivíduo. Até agora, em todo caso. Seja como for, e sendo assim, — e aqui se toca no ponto que este parágrafo procura salientar — um agente e uma fonte de cultura surgiam a cavaleiro sobre as demais: o Estado. Para muitos autores, sobretudo os de inspiração marxista ou neomarxista mas também para os que estiveram na origem das proposições fascistas, e os que seguem determinadas

[15] *Keywords*, Londres: 1976.

orientações religiosas que identificam a crença com o Estado, bem como para muitos políticos e governantes que não primam por uma atualização de seu conhecimento e sua reflexão[16], o Estado representa a cristalização e a quintessência da cultura; sem o Estado a cultura nada é; pelo Estado é que a cultura viveria. De fato, como já é bem sabido, a cultura nacional e a cultura identitária como ainda hoje conhecida surgiram com o aparecimento do Estado nacional, consolidado ao longo do século 19. A cultura sempre esteve em larga medida dependente do poder, de um poder, de algum poder: o poder do cidadão (mas não o do escravo, em Grécia antiga), o poder da nobreza, o poder do tirano, o poder da igreja, depois o poder do Estado e o poder de um governo dentro do Estado e o poder de um partido político que controla o governo de um Estado. (E cada um desses poderes significa o poder de um mercado correspondente: o mercado do cidadão, o mercado do tirano, o mercado da igreja, o mercado do partido, o mercado do Estado: esta ressalva é feita intencionalmente e de modo bem nítido neste momento em que um simplismo intelectual procura opor mercado e cidadania ou mercado e Estado: trata-se de uma oposição falsa na essência, que pode apenas assumir tons variados conforme a relação em jogo: o mercado faz parte da cidadania, portanto faz parte do Estado e, no limite, é partícipe da insociável sociabilidade). A identificação da cultura ao Estado, com o Estado assumindo o papel de alimentador, controlador e dispensador universal da cultura no interior de seu território (e mesmo fora dele, no caso do Estado expansionista) assume assim um tom *natural*, como uma inevitabilidade.

Inevitável, no entanto, é tudo que essa relação não é. Demonstra-o a contemporaneidade que se convenciona denominar de pós-modernidade. Muita coisa mudou na pós-modernidade, não apenas quando comparada à modernidade "clássica" e à alta modernidade do século 19, mas também quando o cotejamento se faz com a realidade de algumas décadas atrás. No caso do Brasil, quando se procede a um balanço dos últimos 40 anos — e falo em 40 anos pois neste 2004 comemoram-se 20 anos do final da ditadura instalada em 1964 assim como se assinalam os 40 anos do início dessa mesma ditadura — o que mais surge em evidência na dinâmica social não é tanto o retorno da democracia (ou da democracia possível), nem o histórico impeachment de um presidente democraticamente eleito, nem a ascensão ao

[16] Na França, já que esse país foi aqui citado, é inconcebível que alguém anuncie suas ambições políticas mais elevadas, como à presidência da república, sem que tenha escrito um livro. Por certo, escrever um livro não é garantia de reflexão acurada; mas este é um traço que, no mínimo, ilustra o desenho de uma cultura que pôde, ou talvez ainda possa, apresentar-se como ideal civilizatório...

governo, pelo voto, de um partido político de esquerda mas o aparecimento e a consolidação da *sociedade civil*. A sociedade civil não é o oposto da sociedade militar que sofremos durante 20 anos, como de um modo ou de outro se costumava pensar ao longo dessas mesmas duas fatídicas décadas. A sociedade civil é a que contrasta a *sociedade política*, esse conjunto que inclui o Estado com suas instituições (o executivo, o judiciário, o congresso, as câmaras de vereadores, as empresas estatais ou de economia mista, a escola) e os partidos políticos. Não cabe aqui a discussão dos motivos pelos quais isso aconteceu (se o Estado foi corroído pelo ataque do "mercado", se a realidade contemporânea é demasiado complexa para ser entregue à manipulação isolada do Estado, se há um esgotamento próprio dessa forma de autogoverno, se tudo isso em conjunto). O fato é que a sociedade civil organizou-se a si mesma para apresentar-se como um ator social decisivo e enfrentar uma série de questões, entre elas a do próprio Estado e as relativas ao meio ambiente, à educação, à saúde, aos direitos humanos, aos direitos civis, à cultura... Esta faixa temporal dita pós-moderna, se assim se preferir, está marcada, como se diz já de modo clássico, pela falência da "grandes narrativas" (a da religião, pelo menos no ocidente e por ora; a da ideologia; a do próprio Estado, embora laico e republicano), pela complexidade, pela deriva ou flutuação dos processos culturais, pela globalização da comunicação e das experiências, pela ascendência do risco em todas as latitudes e longitudes (aumento da incerteza social com o fim do Estado-previdência, aumento da violência urbana, aumento do terror político-religioso-identitário-econômico...). Mas, não apenas isso caracteriza a pós-modernidade que se esboça a partir dos anos 60 do século 20: acima de tudo isso, como reflexo disso tudo e ao mesmo tempo causa de tudo isso, surge a ascendência da sociedade civil (outro modo de dizer que as pessoas se organizam das mais diferentes formas não mais e não apenas para se fazerem ouvir mas para intervir, agir, pôr as mãos — e se organizam por etnias, por preferência sexuais, por metas civis, por projetos sociais, por uma miríade de monomanias como poderia dizer algum utopista em desuso). Dito de outro modo, o que se distingue agora claramente é o poder cada vez mais intensificado de todos e cada um dos *atores sociais individualizados*, com a consequente retração das estruturas sociais clássicas (apesar da luta que lhes move o Estado — e todos os Estados, de todas as cores políticas, uma vez que, como está hoje sobremaneira nítido, a primeira meta do Estado e do governo dentro do Estado é sua própria manutenção, no primeiro caso, e sua manutenção no poder, no segundo, muito mais e muito antes que o atendimento da sociedade a que deveriam servir). Isso não se faz aleatoriamente, nem sem consequências profundas no domínio da representação do mundo e das relações que cada um com o mundo mantém. Uma mudança profunda nessa representação do mundo se instala. Na leitura de Durkhein, a sociedade tinha prioridade sobre o indivíduo. A tradição política do Iluminismo dizia isso de outro modo: fazer a critica do particular (quer dizer, a correção do particular) pelo universal, seja esse universal uma categoria imperativa, o proletariado ou a racionalidade comunicativa como, respectivamente, em Kant, Marx e Habermas (nascido em 1929). Esse pode ser apontado como o programa da Modernidade, e da Alta Modernidade, um programa que buscava uma totalidade a partir do total e do qual resultou, numa expressão difundida, nada mais que uma *totalidade infeliz*. Derivando desse programa, a pós-modernidade procura o caminho oposto (algo que ela pode fazer agora, bem entendido, porque aquilo contra o que ela se volta já está firmado): a crítica do universal pelo particular, a correção do total sob a perspectiva não apenas da parte como do singular, do modo posto em evidência pelas reflexões de Nietzche (1844-1900) e Adorno (1903-1969). O particular radicalizado relendo o universal. Ou, nos termos de Georg Simmel, que se terá de ler cada vez mais, a abertura de um espaço no qual a força vital do individual mais íntimo se erga contra as normas gerais e abstratas do social (não apenas contra essas normas sem vida mas contras essas normas avessas à vida) do *social*, esse *social* que se multiplica ainda agora nas vozes da falta de imaginação.[17]

A VIDA DO INDIVÍDUO, AS NORMAS DO MUNDO

A sociedade civil não foi ler Nietzsche, claro — o que não diminui a precedência de Nietzsche na concepção desse *outro modo* de representar o mundo, com ele relacionar-se e sobre ele agir. O outro mundo que é possível, e como tal buscado pelos *altermundistas,* é muito mais esse do que aquele outro, mais imediato e por isso mesmo de menos fôlego e menor capacidade de reação, que os fóruns sociais, como se chamam, procuram promover, com a habitual visão restrita às questões macroeconômicas próprias desta era globalizada.

Se filosoficamente a questão pós-moderna pode ser colocada nesses termos, sociologicamente ela se mostra nas roupagens mais concretas que lhe emprestam autores como Anthony Giddens (nascido em 1938). Como é hábito nessa área, prestígio intelectual e o

[17] Mesmo tendo sido muitas as críticas a essa visão já em seu próprio momento, ao tempo de Jakob Burckhardt (1818-1897) talvez fosse possível falar no "Estado como obra de arte", assim como Hegel havia falado na "obra de arte política" dos gregos. Hoje, porém, o que deve prevalecer é a palavra de Godard, lembrando que o Estado não pode amar e, portanto, nada pode ter a ver com a arte pelo menos, senão com a cultura também...

correspondente poder conseguem-se melhor e mais rapidamente se os interessados forjam novos nomes para as mesmas coisas; assim Giddens e sua escola[18] propõem para substituir a expressão *pós-modernidade*, de fato vaga, outra não menos difusa e certamente mais obscura: modernidade reflexiva. O nome não importa tanto, embora a questão por trás de sua proposição seja séria e vital no mundo das ciências humanas. Importa é a concordância entre a releitura de Giddens e as propostas anteriores de outros que se dedicaram ao mesmo tema e que apontam para a ascendência de novos atores sociais, emergindo da sociedade civil e não da sociedade política, e a diminuição (ainda simbólica porém significativa) da esfera de presença dos atores políticos tradicionais, entre eles o Estado e os partidos políticos, e que apontam também, em consequência, para a ascendência da *ação* ou da *iniciativa* sobre a *estrutura*. A palavra *iniciativa* aqui é decisiva: a iniciativa de cada um em contraposição à inação da estrutura. Giddens propõe uma descrição dessa iniciativa: livre das coerções da estrutura social, a iniciativa individual reflete sobre suas próprias disposições e recursos e sobre aquela mesma estrutura em busca de um outro modo de colocar-se na vida e no mundo. Uma modernidade reflexiva, diz ele, não apenas porque reflete autonomamente sobre a estrutura social em si mesma mas porque se volta sobre si mesma (não para seu entorno, para o que está fora de si) para aí buscar seu impulso de ação. Como a escola de Giddens vai expressamente buscar em Pierre Bourdieu um precursor que legitime suas reflexões (como se vê, nunca se está de todo livre da ascendência das estruturas...) — estimulada pela crítica de Bourdieu ao estruturalismo radical de Lévi-Strauss (nascido em 1908) feita, parece a Giddens, desde o ponto de vista do que o mesmo Giddens chama de *agency* ou iniciativa — é o caso de retornar à distinção anterior entre cultura e *habitus* para avançar na questão da cultura na pós-modernidade. Esse retorno é tanto mais legítimo quanto o próprio Bourdieu incursionou pelo terreno da "reflexologia"[19], embora mais para negar a aproximação com Giddens do que afirmá-la. Assim, e em termos extremamente sintéticos, o *habitus* apresenta-se como o sistema das atividades *em curso* e tal como já existiam e haviam sido definidas pela inércia, pela tradição, pelos costumes, pelas ideias feitas, pela matriz consagrada, enquanto a *iniciativa* se colocaria nitidamente do lado não apenas das *obras de cultura* que buscam o refinamento do espírito mas das obras *críticas* de cultura ou, numa palavra, do lado da cultura em ato, da cultura como ato, como um fazer *aqui e agora* — do lado da

A INICIATIVA CONTRA A ESTRUTURA

[18] A. Giddens, Scott Lash e Ulrich Beck, *Reflexive modernization*. Londres: Polity Press, 1994.
[19] *An Invitation to Reflexive Sociology*. Cambridge: Polity, 1992.

cultura irrepetível de Artaud (1896-1948), que Giddens pode ou não ter lido e que em seu tempo fazia uma antecipação poética de algo que, como sempre, a reflexão sociológica só pode verificar e a seu modo atualizar mais tarde, bem mais tarde. A cultura como ato unitário, único, quer dizer, não transformável em estrutura. Uma utopia, por certo. Mas, trabalho de renovação e reventilação do pensamento, vital para a redefinição do desenvolvimento humano.

A libertação progressiva das pessoas frente às estruturas, mediante o fortalecimento da sociedade civil diante não só do Estado como simplificadamente se propõe mas diante de toda a sociedade política, está no núcleo da proposta pós-moderna para a cultura, seja qual for o termo que se prefira adotar para designar esse período. Não é uma proposta artificial, desenvolvida em laboratórios de ideias. Como frequente no domínio da cultura e das ciências humanas responsáveis, o fato precedeu a teoria — e o fato central aqui foi a perda de sentido das grandes narrativas motivada pela corrosão da confiança em geral e, para usar um termo atual da informática assim como aparece na formulação de Ulrich Beck, sob esse aspecto mais radical do que Giddens, motivada pela corrosão da confiança nos *sistemas especialistas*[20] tradicionais, isto é, nos *corpus* de informação e conhecimento ou de manipulação ideológica da informação e do conhecimento que são as igrejas, o partido político, o Estado e outras tantas corporações ou aparelhos do gênero, como a universidade ela mesma. O próprio campo da arte foi um desses sistemas especialistas cujo crédito de confiança foi corroído; ainda hoje se pode encontrar críticos reconhecidos (embora o reconhecimento mediático não seja, para nada, um índice de valor em si mesmo) deblaterando contra "a exaustão e incoerência da arte nas duas últimas décadas". (E sistema especialista é ainda o sistema da cultura popular, tanto quanto o da cultura erudita e o da cultura de massa, para usar os caducos termos dos anos 60 do século passado.) O que parece por vezes exaustão e, sobretudo, incoerência, como no caso da arte, não é mais que a libertação dos indivíduos-artistas diante dos sistemas estéticos anteriores que vigoraram cada um durante o período de tempo em que puderam manter sua ascendência (o conceitualismo, o abstracionismo informal, a pop, o cubismo, o

[20] "Sistema especialista" é uma expressão com sentido original específico: designa programas com fundamentos de inteligência artificial que reproduzem o conhecimento de um especialista e ajudam seus usuários a tomar decisões. O problema, do ponto de vista abordado aqui, é que esses sistemas não ajudam qualquer um a tomar decisões mas, apenas, àqueles que nele são iniciados. O sistema especialista que é um partido político não ajuda qualquer um a tomar decisões mas ajuda a tomar as decisões certas aqueles que são membros do partido. Por isso o sistema é especialista...

impressionismo etc.). O que num momento surge como incoerência organiza-se, é obvio, numa nova estrutura que, prevê-se, rapidamente terá de defrontar-se com um novo agenciamento, uma nova disposição das coisas, uma nova iniciativa. O temor de alguns espíritos conservadores, de inspiração marxista ou outra, de que é um mal o desvinculamento dos atores sociais das antigas estruturas que os sustentavam e lhe davam sentido (em especial o Estado e os partidos políticos) não se funda em nenhuma evidência: não há por que recear uma incapacidade da sociedade civil de reorganizar-se segundo novos padrões; apenas um autoritarismo e um paternalismos larvares, latentes, sempre prestes a acordar e mostrar garras que buscam antes de mais nada preservar os próprios interesses, podem ainda pretender e difundir o contrário. Nem o fato de ser esse programa uma afirmação ou reafirmação do indivíduo diante do coletivo levará por si só e necessariamente à diluição social; o que se questiona são os sistemas especialistas de organização da sociedade que estão aí, tanto quanto aquela hierarquia inicial que, no caso da cultura, afirmava a hegemonia da ideia de cultura como *construção social do social* sobre a ideia de cultura como campo de *espalhamento*, para dizer assim, do *universo do indivíduo*. Se há um território em que a reflexão pós-moderna procura fazer valer seus princípios é não apenas o da autonomia da cultura diante do fato econômico como, e na verdade essencialmente, o da centralidade da cultura diante da economia, uma proposição que além de seus efeitos imediatos óbvios (a economia é uma questão de cultura, não o inverso) tem por consequência o fato de que não se pode transpor para a cultura aspectos da ação sobre a economia. Não se pode concluir que a cultura pós-moderna libertada da tutela do Estado cairá inevitavelmente no caos , na exaustão e na incoerência. O que se deve buscar é uma nova sinergia entre cultura e sociedade, uma nova sinergia entre uma cultura que se renova mais fácil e rapidamente do que muitas outras estruturas da sociedade e que exatamente por isso pode servir de locomotiva para um real e efetivo *outro mundo*.

UMA CULTURA PARA O SÉCULO

TUDO FORA DE LUGAR, TUDO BEM

Huyó lo que era firme, y solamente
lo fugitivo permanece y dura.
Quevedo (1580-1645)

O mundo finalmente alcançou o Brasil.

DUAS NOVAS REALIDADES CULTURAIS

Considere-se o caso de Rotterdam, maior porto do mundo. O centro de Rotterdam foi bombardeado durante a II Guerra Mundial e depois reconstruído no estilo internacional da arquitetura modernista anônima do pós-guerra feito de linhas retas e muito vidro. Mesmo assim, a *identidade tipicamente holandesa* da cidade foi preservada em bairros onde ainda se veem os pequenos prédios que dizemos tipicamente holandeses. Um deles porta o nome bastante simbólico, para o que aqui interessa, de Oude Ocidental. Há três décadas, o lugar era *tipicamente holandês*, quer dizer, habitado por holandeses e, por extensão, pelos brancos. Hoje, começo do século 21, está repleto de "ethnic groceries", para usar essa expressão fabricada pelo curioso discurso social americano e que significa, nos EUA, que nesses lugares encontra-se comida de várias partes do mundo menos... dos EUA que, portanto, não é "étnico" e está fora de todas as etnias e acima delas. Além de "ethnic groceries", que na Holanda significaria então "lugares que oferecem comida de todas as partes, menos da Holanda", Oude Ocidental está também cheia de lojas que vendem música... árabe. Se não bastasse isso, perto do rio que divide a cidade, o Nieuwe Maas, um grande igreja de tijolo aparente foi transformada em mesquita e, perto dela, na rua, sempre se encontram grupos de turcos jogando cartas.

Há na Holanda 500 outras mesquitas, nas quais 450 imãs conduzem os ritos religiosos. Esses ímãs proveem da Turquia e do Marrocos, do Paquistão e da Somália. Costumam falar sua própria língua e desconhecem as características e as consequências políticas e sociais da separação entre Igreja e Estado na sociedade ocidental e, sobretudo,

> na Holanda. Em 2002, depois do "11 de setembro", o governo holandês estabeleceu que os ímãs mais recentemente chegados ao país deverão seguir um curso oficial de cidadania que lhes permitirá ter uma ideia do sistema legal e da cultura holandeses. O objetivo é apresentar-lhes os modos de uma sociedade que repele todo tipo de discriminação e é cada vez mais multicultural. Qual o sucesso da empreitada, não se sabe. Como dizia Gombrich, contra o argumento do sobrenatural não costuma haver argumento...

No outro lado do mundo, no Tibet, uma nova realidade está nascendo, na forma de uma *nova* velha cidade (ou uma nova cidade velha). A nova cidade antiga chama-se Shangri-Là. Não importa, diz o *Washington Post* que veicula a notícia, se o nome dessa cidade não tem significado algum no idioma e na cultura locais[21]. Na linguagem global dos sonhos e desejos, esse nome, Shangri-Là, abriga imagens de um lugar não muito diferente dessa nova cidade velha, evocando aldeias nas fraldas de picos escarpados e monges em roupas avermelhadas caminhando para seus mosteiros por entre casas de pedra. O que importa, como diz o jornal, é que o nome *Shangri-Là* inspira os ocidentais a passar alguns dias por ali e ali gastar importantes somas de dinheiro, argumento que convenceu o governo central da China, no verão de 2002, a mudar oficialmente o nome da antiga cidade de Zhongdian[22] para Shangri-Là, a aldeia fictícia do romance *Lost Horizon* de James Hilton e que, segundo o mesmo jornal, tornou-se um marco na fascinação do Ocidente pela cultura tibetana. O *Washington Post* exagera, neste ponto: o livro de James Hilton é bem menos universal do que o jornal ingenuamente (ou soberbamente) supõe. Ou, numa outra fórmula, o Ocidente é bem mais amplo do que acredita o jornal: esse romance pode ser um marco na fascinação *dos americanos,* não do resto do Ocidente, pelo Tibet. De todo modo, o efeito de fundo funciona: atrair o lado de cá com imagens consolidadas do lado de lá...

O projeto do governo chinês é convocar turistas mais abastados para essa região do nordeste da província de Yunnan, etnicamente tibetana, no lugar daqueles jovens sem dinheiro e com muitas ilusões filosóficas na cabeça que nos anos 60 ali foram parar e ali não raro encontraram destinos trágicos, como se lia nas páginas de romancistas menos ingênuos do que Hilton, a exemplo do francês René Barjavel (*O caminho de Katmandu*). Não importa: a questão aqui é não apenas a

[21] Na verdade, o nome parece ter, sim, um significado, se não no idioma chinês local pelo menos no idioma tibetano local: terra do sagrado e da paz.

[22] Em tibetano, o nome da cidade era Gyalthang. Gyalthang, Zhongdian, Shangri-là: a instabilidade, a flutuação, o fugidio se exacerbam...

ocidentalização de uma das regiões antes mais remotas e fechadas do Oriente como uma ocidentalização levada a efeito através da emergência *da ficção* na realidade, numa espécie *de "orientalismo"* às avessas ou de uma *vingança do orientalismo* que consiste em usar a favor desse oriente as imagens que o ocidente dele forjou. Enquanto isso, na França, Paris viu o numero de jovens adolescentes chineses despachados — é bem o termo — da China para o Ocidente, em busca de melhor educação e empregos, ser multiplicado por 10 em apenas dois anos, de 1999 a 2001, engrossando — apesar de serem pequenos os números absolutos, por enquanto — a lista dos imigrantes sem papéis, sem emprego, sem teto.

Estes dois exemplos foram tomados ao acaso de uma mesma edição do jornal *The Washington Post* em setembro de 2002, num momento em que eu não procurava por eles. Mas não constituem casos verdadeiramente excepcionais : de fato refletem um desenho maior da dinâmica cultural contemporânea. E o que está por trás dessas duas pequenas histórias — incisiva penetração de uma cultura por outra, num caso, e a mesma coisa no outro só que por meio da ficcionalização da realidade — é que o cenário cultural mudou e com ele mudaram os valores culturais.

A CULTURA COMO ADJETIVO

Esses exemplos apontam para um fato crescentemente visível: a cultura não mais é um substantivo, uma ideia substantiva — uma *coisa* ou *objeto* duro — mas um adjetivo[23] ou, melhor, uma dimensão feita de tendências, diferenças, contrastes e comparações que descrevem o que a palavra "cultura" recobre não como uma propriedade *inerente* a indivíduos ou grupos mas como um instrumento heurístico *contingente* ao qual se pode recorrer para falar da diversidade e do cambiante e inventar novos modos de convivência e apossamento da vida na atual realidade do mundo. A dimensão que a palavra "cultura" agora abarca é feita em larga medida de variações, derivações e deslizamentos e não de reafirmações do mesmo e de entidades estáveis num indivíduo em particular ou algum grupo em especial. Neste sentido, numa perspectiva radical e na condição de instrumento linguístico, a palavra "cultura" deveria aos poucos sair de cena; o melhor seria, sugere A. Arjun, recorrer ao termo "cultural", como na expressão *"o cultural"* — quase do mesmo modo como hoje se fala do "social", como na expressão "o social". Quer dizer: o cultural como uma totalidade de formas e conteúdos de diferentes origens fluindo em várias direções simultaneamente, incessantemente. Um sistema cultural que se poderia apresentar, em

O CULTURAL NO LUGAR DA CULTURA

[23] Arjun Appadurai, *Modernity at Large: Cultural Dimensions of Globalization*, Minneapolis: Univ. of Minneapolis Press, 1996.

termos de teoria da informação, como algo próximo de um sistema em paralelo a distinguir-se do mais básico sistema em série. O sistema em série é instruído por um programador de modo a tomar decisões com base num número finito de regras, cada uma das quais depende da evidenciação de uma decisão anterior, no formato de uma estrutura em árvore feita de disjunções binárias. Um sistema em paralelo, diversamente, constitui-se de uma rede de células individuais que assumem uma configuração final conforme um padrão de pesos que o programador não pode decidir ou prever de antemão dado que a rede descobre regras não recebidas anteriormente e se modifica segundo os novos dados. Este sistema em paralelo, chamado "neoconectivista", é como uma rede de neurônios. Quando um neurônio "funciona", ele dispara um sinal elétrico; esse disparo por sua vez depende da atividade de outros neurônios, e não há modo de prever *o quê* ou *quando* algo se passará, ou em que direção — de tal modo que uma rede de apenas 100 neurônios (e se pense nos milhões e milhões que constituem o cérebro humano) será definida no interior de um jogo de possibilidades da ordem de grandeza representada pelo número 10 elevado a 30, ou mil bilhões de bilhões de bilhão... Isso é "o cultural"... Dois dados relevantes nesse desenho: primeiro, o programador (o equivalente ao intelectual, ao líder partidário, ao ideólogo, ao comissário para a educação e para a cultura, como o foi Georg Lukacs em 1919 durante a revolução comunista na Hungria — ao atleta do estado, como o define Peter Sloterdjik[24], esse ser que se prepara a vida toda para tomar um lugar no aparelho de Estado e dizer aos outros o que têm de fazer e cujo tempo ou data de validade na verdade já se esgotou) não desempenha nesse sistema um papel central porque não tem como prever o que se passará; segundo, o que se passar dependerá das disposições das conexões sinápticas ou, adaptando, das posições relativas e mutantes dos disparadores de sentido, que são, no universo em discussão, os indivíduos da cultura.

A CULTURA NEOCONECTIVISTA

O desenho assim esboçado mostra a cultura hoje como uma cultura livre, móvel e flutuante que não mais dispõe de uma âncora presa a algum sólido leito de algum simbólico mas duro fundo de mar. Uma cultura que não dispõe de âncoras ou que as descartou ao longo da viagem. Indício dessa situação é que mesmo uma noção muito sólida como a de patrimônio material, que remeteu a bens culturais sólidos como velhas igrejas e monumentos, perde importância em política cultural para a de patrimônio imaterial, feito da linguagem, da dança, do comportamento geral das pessoas e grupos, todas essas entidades

A CULTURA FLUTUANTE

[24] Peter Sloterdijk, *En el mismo barco*, Madri: Siruela, 2002.

voláteis e cambiantes. Nesta orientação, muitos outros conceitos tradicionais estão sendo revistos não porque alguém decidiu fazê-lo, num gabinete, mas porque as pessoas o estão revendo nas ruas e em suas casas. Entre eles, os conceitos de *identidade* e *identidade cultural*, que cedem espaço para a ideia de *identificação*, ou processo de constante mudança de alguns ou da maioria dos traços descritores de um indivíduo ou grupo e que não desaparecem por completo como tais, é fato, mas que se fundem com outros, novos e acaso inesperados, num vasto processo aberto.

Guardadas as proporções ditadas pelas características da atual fase da globalização cultural, talvez assim tenha sido na cultura pelo menos desde que os indivíduos reorganizaram-se em cidades mais abertas a partir do fim da Idade Média. Nessa ótica, a cultura só pôde parecer estável, menos ou mais imobilizada, apenas como resultado da aplicação sobre ela, a partir do século 19, de esquemas teóricos redutores que procuraram estacioná-la não apenas para estudá-la como, e talvez sobretudo, utilizá-la na condição de instrumento de políticas de diversas cores e orientações voltadas para a sustentação do Estado-nação. Agora, num momento de troca rápida e contínua de informações e de aceleração do tempo da vida e do mundo, a cultura revela de modo nítido sua condição de sistema ou, mais provavelmente, de constelação intrinsecamente flutuante e móvel. Fugidia. A ideia de *raízes culturais*, também desenvolvida no século 19 e erigida em vetor de definição das sociedades no século 20, sofreu desde o final (relativo) da descolonização do mundo um vasto processo de erosão em seu significado original. A expressão *dinâmica cultural* recebe agora, de volta, seu sentido original e forte, aquele que aparece na literal superfície da palavra: *movimento*. Movimento é a forma e a matéria da cultura, sua alma.[25] Sob esse aspecto, a globalização, mais uma etapa da cultura flutuante, não significa necessariamente conflito de culturas e menos ainda aniquilação de culturas mas, acima de tudo, um amplo deslocamento de diferentes culturas num largo leque de direções, trazendo como resultado inúmeras e por vezes fundas modificações em cada uma delas.

A CULTURA COMO UMA DINÂMICA

Pois, e aqui voltamos à proposição inicial segundo a qual o mundo finalmente alcançou o Brasil, móvel e flutuante é o que a cultura brasileira tem sido há muito tempo, talvez desde muito cedo em sua existência. As palavras usadas para descrevê-la, e *incompreendê-la* em grau maior ou menor e assim desqualificá-la, têm sido outras: cultura de mistura, combinação, miscigenação, da ambiguidade, do hibridismo,

[25] Embora esse movimento, em sua expressão maior, se verifique mesmo na arte, como se verá no último capítulo deste livro.

e também da degeneração, da confusão... Aqueles para os quais ainda é importante que exista um lugar para tudo e que tudo esteja em seu devido lugar, apresentaram e talvez ainda apresentem a cultura brasileira como uma cultura *onde* as ideias e *cujas* ideias estão fora de lugar. O recurso às noções embutidas naqueles qualificativos indica que seus proponentes *detectaram* na cultura brasileira, é verdade, alguma propriedade de deslocamento, movimentação ou instabilidade — propriedade por eles no entanto marcada com um sinal negativo que o conceito de flutuação não invoca nem endossa. E outro traço que uniu muitos dos que assim a viram, e muitos assim ainda a veem, foi um *certo horror ontológico*, muito mais que meramente epistemológico, diante do que lhes pareceu, acertadamente aliás, em outra exclamação consagrada, um *caleidoscópio cultural* feito de figuras sociais, jurídicas, políticas, morais que lhes surgiram como assustadoras considerando-se o ponto de vista adotado em suas análises: um ponto de vista fixo, elaborado em outras paragens numa situação de estabilidade cultural mais acentuada e, especificamente, num ambiente de produção de conceitos alimentado pela lógica da exclusão (seja a lógica da exclusão que marca o protestantismo luterano ou o materialismo histórico) e, de modo particular, pela radical separação entre os domínios da *razão,* da *ação* sobre o mundo e da *sensibilidade*. Esses, sentados no comando da vida e mundo, sempre se assustaram com a perspectiva de que algo de imprevisível, feito de claros e escuros e fora do controle, pudesse acontecer.

A FASE DO HORROR ONTOLÓGICO À CULTURA

Esse *horror ontológico* diante da cultura brasileira, às vezes divertido, às vezes banhado em repulsa, apossou-se tanto dos *brasilianistas* (talvez a escrever-se sempre com ***z*** para marcar sua origem...) que olharam de fora para dentro do país, como daqueles que, nativos, recorreram, para suas análises, ao mesmo sistema de ideias gerado sob um ponto de vista exterior — e um ponto de vista próprio de um momento científico em que o mais importante era identificar, individualizar e classificar os *objetos* (e, no caso das ciências humanas, julgá-los) do que captar e entender as *relações* estabelecidas entre esses objetos e o que elas produziam no processo de combinação e atrito entre significados. As ciências duras, um termo que por vezes diz bastante e diz bem o que acontece em algumas delas, mudaram seu ponto de vista bem cedo no século 20 e assumiram o olhar relacional e prospectivo das coisas e do mundo. Mas as ciências moles, como a sociologia, e novamente aqui o adjetivo vem a calhar, em boa parte não acompanharam essa renovação conceitual e continuaram insistindo na operação de categorização objetual monofocal do que se colocava sob exame em vez de assumirem a aproximação relacional e heurística condizente com a nova realidade e a nova perspectiva, isto é, o ponto de vista de uma cultura cujos elementos têm, mais do que um valor sempre fixo, um valor posicional e oposicional, um valor cambiante que depende da posição que o elemento ocupa numa dada série e da oposição que ele ali arma.

Brechas éticas na cultura

Foi assim que não se pôde compreender, nem dentro nem fora do Brasil, pela direita e pela esquerda, como é que, num país de miséria abundante, uma festa como o carnaval pudesse ser tão luxuosa ou, em todo caso, considerando-se seus desbordamentos kitsch, tão cara. Uma *brecha ética* parecia abrir-se, no tecido da sociedade brasileira, impondo uma distância insuperável entre os domínios da emoção e da razão, do devido e do desejável, da preguiça (mais do que do lazer[26]) e do trabalho, do consumo e da produção — uma brecha ética que, parecia, ameaçava atrair para seu interior, como ignóbil buraco negro da cultura, toda a positividade passada, presente e futura dessa sociedade e que nesse caso específico do carnaval impedia e talvez ainda impeça que se veja a Exuberância como forma legítima do Belo.[27] Não apenas o contraste entre o carnaval e a favela, a alegria e a pobreza, a acumulação e o dispêndio abriu durante muito tempo essa imaginária brecha ética na representação da cultura brasileira — e digo na *representação* porque nunca foi, para nada, uma brecha na vida e no mundo reais da cultura brasileira. Também o conflito entre as esferas *pública e privada*, sustentado por exemplo na oposição entre *o que se diz* em público e *se faz* em privado, e aquele entre os *princípios inamovíveis* e os *princípios cambiantes* encheu de espanto os espíritos críticos de outras terras e vários daqueles que, mesmo nativos, amamentaram-se no seio teórico originado fora da moldura permeável da cultura brasileira — ou, para ajustar as lentes ao foco de hoje, da cultura feita num país chamado Brasil. Sem entender o sentido totalizante ou instituinte, nada instituído, desse relacionamento entre opostos, recorreram a vários epítetos para definir a cultura brasileira, entre os quais o de *arcaica* foi um dos mais bem comportados.[28] *Arcaica* é na verdade outro modo eufêmico de

[25] Lembrar Paul Lafargue e seu *O direito à preguiça*, por mim traduzido, com prazer, para o português para a Editora Kairós, em 1980. Que o genro de Marx tenha feito a defesa da preguiça contra o trabalho não deixa de ser uma ironia da história...

[27] William Blake, "A Exuberância é Beleza" (em epígrafe à *La part maudite*, de Georges Bataille).

[28] Num texto citado mais abaixo, Roberto Da Matta relata uma anedota relativa a um "brazilianista" que assume agora, novembro de 2002 (este texto foi iniciado antes das eleições de outubro de 2002 no Brasil, que resultaram na vitória do candidato do PT à presidência da República), particular sentido histórico e cultural. Um cônsul inglês no Brasil, Ernest Hambloch, observava em 1981 que no Brasil não há consistência entre o que se diz e o que se faz, e que isso se revelava inclusive na vida política do país, que nada

referir-se a uma cultura que seria uma espécie de lata de lixo da história universal onde se encontrariam os restos de práticas políticossociais "superadas" e na qual, no entanto, todo um país era visto buscando alimento para sua cultura em sentido amplo e, mais amplamente, para sua cultura política. Para outros, *cínica* era a palavra justa para essa cultura. Brutal, autoritária, desumana, antissocial foram e são as mais comuns.[29]

teria a ver com as questões políticas e, sim, com as questões pessoais e de grupos, levando à situação em que a única coisa que conta não são os princípios e planos políticos mas apenas os interesses de imediato. E dizia que a única pergunta que interessava aos políticos ver respondida era: "Com quais políticos devemos nos aliar a fim de ficar no poder ou conquistá-lo?" Em todas as eleições anteriores às quais o PT apresentou seu candidato à presidência do país, esse partido sempre se recusou a fazer alianças com outros partidos e sempre se negou a compor com outros princípios políticos, em nome da coerência e da pureza ideológicas. Por isso, sempre foi criticado — por dividir a esquerda, por permitir a vitória da direita e por ter da vida política uma visão simplista que na verdade recobria uma vocação autoritária: com os adversários não se conversa (e nunca será demais recordar que a melhor definição de cultura é que a cultura é uma longa conversa, de tal modo que quando inexiste conversa, inexiste cultura, pura e simplesmente: existem palavras de ordem, dogmas mas não cultura). Pois, na eleição de 2002 o PT, ao estilo bem brasileiro descrito por Hambloch, fez alianças e compôs-se com todas as forças políticas possíveis, inclusive com aquelas que representavam tudo aquilo que o partido sempre renegara e que objetivamente materializam o que o país tem de mais retrógrado. A própria figura do vice-presidente agregado à sua chapa eleitoral foi extraída de um partido do qual tudo se pode dizer, menos que seja de esquerda (ou, de fato, que seja pelo menos um partido). E o PT foi novamente criticado por fazer agora aquilo que em outros momentos se pedia que fizesse. Sem nenhum juízo de valor, e sem considerar se o PT irá ou não respeitar as composições pactuadas com seus aliados, o fato é que o PT ganhou pela primeira vez as eleições presidenciais exatamente no momento histórico em que assumiu um vetor de orientação cultural que se apresenta como próprio da cultura brasileira... Aquilo que antes também para o PT era uma brecha ética aparentemente deixou de sê-lo — ou, como se preferir, foi cinicamente posta de lado para ser reafirmada quando o poder for efetivamente assumido ou exercido... Permanece o fato: na única vez em que reconheceu os vetores de orientação que se apresentam como próprios da cultura brasileira, o PT venceu ali onde mais queria vencer... Se isto é uma virada histórica para um partido ou mero oportunismo pragmático, o tempo dirá. (É verdade também que E. Hambloch pode ter tido mais uma vez razão: a única coisa que interessava ao PT era chegar ao poder... Esta eventualidade, porém, não anula a cena anterior.) (Este texto foi escrito em 2003, após sua apresentação numa conferência na Universidade de Maryland, EUA.)

[29] Mesmo algumas mentes enormemente dignas sucumbiram ao recurso a essas palavras. No dia 14 de dezembro de 1968 os militares que haviam tomado o poder no Brasil a 1 de abril de 1964 deram um golpe dentro do golpe e "endureceram" ainda mais, promulgando (a palavra mais adaptada: baixando) o Ato Institucional n. 5, definido na noite anterior (o golpe de 64 nunca se livrará dessas datas fatídicas e cômicas, se não fossem trágicas: 1 de abril, dia da mentira, que procuraram substituir pelo inócuo 31 de março; e esse treze do azar, o 13 de dezembro). Nesse mesmo dia 24 de dezembro, na página dos editoriais da *Folha de S. Paulo*, conforme consta dos arquivos da Biblioteca do Congresso norte-americano, Anísio Teixeira publicava um texto sob o título "Sombras e ameaças". O contexto o justificava: já vivíamos sob a tortura e o assassinato, e debaixo da boçalidade cotidiana de esbirros policiais e reitores servis. Anísio Teixeira ali falava da violência e da falta de liberdade endêmicas no Brasil; e da paciência e submissão do povo. Fazia-o, porém, no cenário dualista da lógica binária que durante muito tempo, e

Mas, estas quatro últimas qualidades, e mesmo a do cinismo, na verdade marcam, a esta altura, qualquer outra das culturas mundiais que, por baixo de um verniz de respeitabilidade e cidadania, ou de lei divina, esfolam até a alma os que se colocam ou são mantidos sob seus mantos, capas ou armaduras — quer por mercantilizarem todos os aspectos e recantos da vida individual e social, da educação à saúde passando pelas emoções e pelas paixões; quer por se refugiarem nos restos do sistema ideológico que se disse oposto àquele entregue ao culto da moeda e à lei do mais forte (e que não era nem uma coisa, nem outra); quer, ainda, por se ocultarem atrás de interpretações religiosas não menos totalitárias da vida pessoal e do mundo coletivo. Esses três sistemas, e qualquer um deles, apenas têm levado seus sujeitos,

ainda agora, impera na intelectualidade brasileira. Como os aspectos que Anísio Teixeira ali menciona são exatamente aqueles que quero, de um lado, pôr em evidência: a ideia da cultura ou a da cultura política brasileira como a lata de lixo da história da humanidade — ou em todo caso, da história europeia — e, de outro, fazer o resgate do paralelismo de valores opostos próprio de uma cultura flutuante, citarei um trecho mais longo. O autor está pintando um quadro de duas faces: "tanta gente a falar de doçura brasileira, amor à liberdade, capacidade de convivência, brandura de temperamento, sentimento de conciliação, gosto pelo progresso. Tudo isso, entretanto, a meu ver, corresponde aos reflexos de nosso mundo das aparências sobre o das realidades. No mundo das realidades, o que houve foi a truculenta ignorância (esta, no sentido de retardamento da história) da classe dominante e a submissão e a paciência do povo, longamente habituado a um regime autoritário-paternalista, entremeado de estertores de violência. Daí não surpreender, mas sobremodo me alarmar, a volta ao uso da violência pela autoridade no Brasil. A violência está sempre implícita na ação do governo brasileiro. A liberdade sempre foi uma permissão entre nós, que a cada momento pode ser suspensa." E Anísio termina observando que estávamos voltando a nossas origens hispânicas e portuguesas e lembrando que no Brasil vivemos no mundo da caverna de Platão, olhando lá dentro para aqueles aspectos suaves e moles enquanto lá fora reina a violência mais crua.

Com muito do que Anísio escreveu ali, naquela data fatídica, era e é possível e necessário concordar, uma vez que muito do que ele descrevia continua existindo de algum modo, em especial o paternalismo e o autoritarismo, não apenas dos governos instalados, de direita e de esquerda, como de suas oposições. E a repulsa que ele manifestava só pode receber adesão. Mas seu texto ilustra um processo típico da intelectualidade brasileira, acostumada a lidar com a ideia da "sombra enganosa" e da "realidade" que se deve "descobrir lá fora" e que alguém bem situado, e somente esse alguém, poderia dizer qual é. E ilustra também, o que foi típico naqueles anos sob a ditadura mas que não desapareceu de todo em seguida, pelo contrário, a noção de que a realidade violenta não era compatível com aqueles aspectos suaves, éticos (no sentido de incorporantes) e em tudo positivos que para o autor eram apenas os reflexos de nosso mundo das aparências. E que portanto não eram para se considerar, não podiam ser consideradas. A realidade era a outra. A realidade, porém, é que a realidade brasileira é aquela **e** a outra ao mesmo tempo. E se algo se pode pedir é que o objetivo de todo estudo consista em verificar como a primeira realidade, o verso da realidade brasileira, se relaciona com o seu reverso. Por certo, há uma ação a empreender no sentido de corrigir tudo aquilo que Anísio coloca do lado do mal, de modo a evitar-se outra ditadura. A ideia a prevalecer, no entanto, é aquela segundo a qual também a cultura brasileira, como as outras, é, na descrição de Montaigne, um jardim imperfeito. Impor-lhe a perfeição só pode resultar em outra tragédia semelhante à de 64, com sinal trocado ou com o mesmo sinal.

transformados em objetos, à amargura, ao desencanto e, cada vez mais, ao desespero. Portanto, nenhuma dessas quatro palavras — brutal, autoritária, desumana, antissocial — e outras assemelhadas servia e serve para atribuir à cultura brasileira um selo diferenciador. Restava o recurso à ideia do arcaísmo, que aparece com sabor ácido nas páginas de intelectuais preocupados com "o social" e com um sabor meio doce meio amargo, entre a alegoria gozadora e a amargura crítica, em outras páginas mais poéticas como as de um Mário de Andrade. A cultura brasileira seria então uma cultura arcaica por mostrar-se, com insistência, impermeável às ideias de uma modernidade que soberbamente se queria, como ainda se quer, diante dos atuais embates com a pós-modernidade, atemporal portanto eterna.

UMA CULTURA CONTEMPORÂNEA

E eis que, *"de repente"*, no final simbólico de século 20, a cultura brasileira se revela contemporânea — contemporânea histórica e filosófica da vida e do mundo, como não se suspeitava que fosse, e de si mesma, como nunca se imaginou que poderia ser. E revela-se *contemporânea* porque aquelas que eram *suas* marcas começaram a aparecer um pouco por toda parte em culturas que sempre gozaram de mais *mídia* internacional e nas quais a produção intelectual, vastamente autocentrada, tem mais prestígio e poder de irradiação. Nessas culturas mais prestigiosas, as ideias de cultura ambígua, aberta, incerta, para não mencionar as noções de confusa, degradada, não são bem aceitas. Nem mesmo as noções de cultura misturada, compósita, miscigenada. Paralelamente, os discursos sobre a cultura recheados de juízos morais, típicos da sociologia da segunda metade do século 19 e em vigor até o final da guerra fria com a queda do muro de Berlim, começaram a escassear. Assim, termos mais neutros que aqueles primeiros foram procurados, como o de hibridismo. Nem mesmo esse rótulo, porém, de resto bem-vindo, cabe perfeitamente à cultura brasileira, pois poderia sugerir a imagem de que na origem havia duas ou mais culturas puras ou originais ou singulares e idênticas a si mesmas e que em seguida se interpenetraram para produzir algo que não é nem uma coisa, nem outra, embora se pareça com uma e outra. Algo assim como uma nectarina, produto de uma primeira engenharia genética agora sem dúvida paleolítica e que não é nem ameixa, nem maçã mas uma espécie de salada de fruta *ready-made*, um tanto supérflua e não raro insossa. Coisa que certamente a cultura brasileira não é.

Aqueles títulos pejorativos todos ainda persistem de algum modo no quarto dos fundos da mente e do coração de uma ou duas gerações de brasileiros (especialmente os que passaram por uma universidade — e voltarei a isso depois, destacando desde já que a universidade no

Brasil é coisa bem recente) embora tenham sido postos de lado por alguns pesquisadores mais jovens e por um autor senior "alternativo", digamos, no quadro teórico brasileiro, como Roberto Da Matta, que corretamente insistiu mais na abordagem relacional dos componentes da cultura brasileira e na defesa da necessidade de se considerarem dois sistemas de valor paralelos, como o de nação e sociedade e o de espaço público e privado, do que nas lógicas de oposição e exclusão do tipo "ou...ou" (uma coisa *ou* outra, nunca as duas ao mesmo tempo), que ele substitui, talvez sem dizê-lo expressamente, pela lógica pós-moderna do "e...e" (uma coisa *e* outra, ao mesmo tempo). Eu iria um pouco mais longe do que Da Matta ao considerar insuficiente a ideia de que, para recusar a lógica dualística tradicionalmente aplicada ao estudo da cultura brasileira, basta dizer que a verdade está no terceiro excluído desse jogo de opostos.[30] Atrevo-me a contestar também como fundamental para a cultura brasileira a pergunta no entanto sempre reafirmada e revalidada por ensaístas: "Mas afinal, quem sou eu?" Para justificar este duplo ponto de vista será preciso insistir, rapidamente, em dois ou três dos principais traços da cultura contemporânea, que é flutuante e móvel ou praticamente não é. E com isso voltamos ao momento em que a cultura começou a revelar-se, um pouco por toda parte, no esplendor de sua flutuação.

Uma cultura inclusiva

* * *

Uma rápida volta ao passado, para depois seguir adiante. Ao longo dos anos 60, sobretudo após o golpe militar de 64, a cultura brasileira parecia um navio atracado no porto. Um navio com as âncoras descidas e a proa e popa firmemente amarradas ao cais por cordas poderosas. Como as águas do porto são rasas — e tão mais rasas em tempos de ditadura, quando se procura retirar de todos os *líquidos vitais* o máximo que podem conter de alimento e sustentação — esse barco da cultura brasileira praticamente não balançava, e certamente não se movia. Era assim que o comandante de direita desse barco, depois de 64, queria vê-lo: firmemente preso, parado. Como o barco era muito grande e o comandante não podia controlar todos seus recantos ao mesmo tempo, sobretudo quando algum piloto de algumas das esquerdas conseguia infiltrar-se no navio, nem tudo corria dentro dele como queria o militar de plantão. É verdade, de passagem, que era igualmente assim que

[30] Roberto Da Matta, "For an anthropology of the Brazilian tradition or 'A virtude está no meio'", in *The Brazilian puzzle: culture on the borderlands of the Western World*, David J. Hess e Roberto A. Da Matta (eds.). Nova York: Columbia University Press, 1995.

esse piloto da oposição gostaria de ver o mesmo navio: firme como uma rocha, quer dizer, imóvel — sob controle, sob seu controle. Amplas agitações em alguns dos porões do navio, como o do teatro, não tiravam e não tirariam o barco de sua posição imóvel. Naquele tempo, tanto para a esquerda como para a direita a cultura deveria ter *raízes* que a prendessem a algum lugar: somente assim se teria uma base para os projetos que sobre ela se faziam. A questão, portanto, era *procurar* essas raízes e fortalecê-las. A direita as via, em parte, no sólido passado de pedra importado de Portugal, visível nas velhas igrejas e casarões e casas grandes coloniais — embora se mostrasse suficientemente atualizada para recorrer à modernidade reluzente e etérea da TV e com ela alcançar resultados mais imediatos. E a esquerda revolucionária que, como manda a própria definição da palavra *revolução*, queria aplicar um freio no deslocamento que a situação estava assumindo e com isso necessariamente voltar pelo menos um pouco atrás, vislumbrava essas raízes no nacional-popular, dois termos de difícil conceituação mas que mutuamente se sustentavam e explicavam na ideia de que se algo não fosse nacional, não seria popular e se não popular, nacional não poderia ser. Várias tragédias pessoais derivaram dessa visão acentuadamente agrícola e geopolítica da cultura (a cultura ligada à terra e ao território). E coletivamente todos pagamos um preço, como a cultura brasileira pagou um preço, pela política enraizante, patriarcal e patrimonialista da direita como da esquerda.

Raízes dinâmicas

Não será necessário insistir nesse ponto, nem lembrar com detalhes excessivos o modo pelo qual essa representação da cultura como algo preso a um solo específico ligava-se visceralmente à concepção de nação, de Estado e do papel que a cultura pode representar na mediação entre um e outro sob o controle de um aparelho determinado, o do Partido que quer se confundir com o do Estado e a nação, concepção essa em elaboração no século 18 e em aceleração no século seguinte. O fato é que um século, um século e meio de estacionamento num paradigma ou, se assim se preferir, de imobilidade em águas que necessariamente se põem cada vez mais sujas, é demais para toda cultura, que nelas começa a apodrecer. E aos poucos a cultura brasileira conseguiu sair desse porto e retomar seu movimento inicial, quase no mesmo momento em que outras culturas em outras partes, embora por outros motivos e em outras situações, também se livravam de seus portos tradicionais. Muitas saíram do porto e se detiveram pelo menos um pouco na barra, onde para estabilizar-se o navio usa apenas as âncoras, e uma só. O barco está preso a um ponto de referência — mas pode girar sobre o próprio eixo, oferecendo seus diferentes costados à visão desde a praia e vendo, ele mesmo, cada vez um cenário diferente. E dando voltas sobre seu eixo, o navio também sobe e desce, por vezes para pontos inimagináveis de tão alto, outras vezes a pontos assustadoramente baixos. Nesta situação, se as raízes não são, elas mesmas, dinâmicas, o *enraizamento* sem dúvida o é. E o navio flutua. E em seguida esse navio pôde soltar menos ou mais largamente suas amarras e se lançar ao grande mar instável do planeta, um só mar onde todas as águas, de todas as cores e todos os sabores, se juntam.

Foi o que aconteceu com a cultura brasileira durante a redemocratização a partir da segunda metade dos anos 70, e também o que começou a acontecer com várias outras culturas que não passaram, mais recentemente, pela trágica necessidade de redemocratizarem-se. Com uma diferença: com exceção dos intervalos ditatoriais, e o Brasil conheceu mais de um, a cultura brasileira sempre havia sido ou há muito tempo era flutuante — mais flutuante e móvel do que de composição ou mesclagem ou hibridização. É uma cultura que flutua e voga sobre um território e sobre vários territórios e em cujo interior também seus componentes flutuam e vogam. Seus três elementos instituintes, para retornar à matriz clássica — a cultura branca do europeu, a negra do africano e a índia — sempre flutuaram lado a lado, roçando-se e de vez em quando saindo um pouco de si para assumir os tons do outro e em seguida voltar a si embora já de modo diferente. Caso os três componentes iniciais, acrescidos agora daqueles de origem asiática e do médio-oriente, tivessem simplesmente se fundido uns nos outros, numa grande sopa diluída, não seria possível divisar uma mesma fatia da realidade brasileira como trazendo ora a marca da cultura branca, ora a da cultura negra e numa terceira ocasião a da cultura índia. Tampouco seria necessário propor certas correções de rumo para equilibrar melhor o barco nesta ou naquela direção. Como se costuma dizer, no Brasil estamos todos — etnias, classes, credos — sempre juntos (na praia, no estádio, na cidade)... porém separados. Próprio de uma cultura flutuante cujos elementos internos também vogam é permitir que aquilo que se vê de um certo fenômeno a partir de um dado ponto de vista mude de feição conforme mudar o ponto de vista. O lugar de onde se faz a observação é fundamental. Não apenas o entendimento, o efeito de discurso, muda, como muda o próprio comportamento — efeito de mundo — conforme se altere o lugar onde se coloca o sujeito da cultura, algo fácil de constatar no Brasil, como insiste Roberto da Matta, no jogo entre o espaço público e o espaço privado. Desnecessário, a esta altura, recordar que a dimensão do espaço, com seu tempo próprio, é a que talvez melhor marque a ideia da cultura pós-moderna, traduzida, nesse aspecto, pela noção de território também ele fluido, ampliado, e que mais fácil torna entender a dissociação, hoje, entre solo, nação, sociedade e cultura.

TERRITÓRIOS AMPLIADOS

Duas outras anedotas nos introduzem a este tópico. Num programa de culinária pela televisão, um *chef* prepara um prato que descreve como típico da Grécia. São pequenos pastéis de massa fina recheados com mistura de espinafre e creme à qual o *chef* acrescenta folhinhas de hortelã. Para quem vê pela TV, uma delícia visual à falta de ser uma delícia gustativa. Coloca o recheio sobre a massa, fecha-a, pincela-a com gema de ovo e salpica o pastel pronto com grãos de gergelim. Fazendo isso, o *chef* se dá conta de que algo está *fora de lugar,* ri e diz que, de fato, recorre a componentes que não são todos gregos mas, alguns, da Turquia. E então diz: "Bem, Grécia, Turquia, é tudo Mediterrâneo, não faz mal, somos todos do Mediterrâneo..." E ri de si mesmo e consigo mesmo, enquanto leva os pastéis ao forno...

Nessa breve anedota há todo um universo de realidades objetivas e subjetivas que diz respeito à cultura, ao território e à identidade cultural. Para começar, a ideia de que o território pessoal não é uma coisa fixa mas algo extensível, ampliável — conforme os pontos de referência. Sou da Grécia mas, *conforme o caso*, sou de algo maior que a Grécia e que não a exclui: sou do Mediterrâneo. Meu território se amplia de repente, se eu escolher fazê-lo. E sorrio porque me sinto bem ao descobrir-me, de repente, parte de um território mais amplo. Há uma força talvez mais poderosa na ideia de Mediterrâneo do que na de Grécia e sinto-me bem descobrindo-a e integrando-me a ela sem livrar-me da orientação menor.

E a segunda anedota, que ratifica a primeira. Num outro canal de TV, num outro dia, num documentário sobre vinhos, a ideia do Território Maior reaparece. Desta vez, estamos no sul da França. Fala-se de vinhos e das diferenças entre eles, diferenças de solo, de clima, de sol. E o vinicultor, francês, a certa altura diz: "Nossos vinhos, aqui no Mediterrâneo..." Que um francês deixe de lado a noção de *seu* território nacional e, de *modo natural*, encaixe a si mesmo, a seu produto e a outros compatriotas num grupo maior, o mesmo grupo do Mediterrâneo que alcança aquele *chef* grego, não deixa de ser notável.

Há, nessas breves anedotas, um primeiro aspecto a destacar: um território agora se amplia ou se reduz conforme o ponto de referência. O território não é, *ou não é mais,* um domínio fixo, rígido, duro. Um território se amplia às dimensões de um grande mar interior, para o *chef* e o viticultor, ou se reduz ao ambiente de um pequeno restaurante argentino no interior da Espanha, ou de outro, japonês, num bairro de São Paulo. No atual momento da dinâmica cultural, o território claramente se descolou da nação e está ali onde está a sociedade ou a comunidade. A sociedade (em todo caso, a comunidade) carrega o território, não mais (tanto) o inverso.Esse é, na verdade, um traço da cultura mediterrânea, que ora se localiza com comodidade na terra firme nacional a que possa eventualmente pertencer (a cultura francesa, a cultura espanhola, a cultura italiana), ora se reconhece não apenas sem problema mas com prazer no mar flutuante e deslocalizado do comum Mediterrâneo e ora, ainda, não vê problema algum em situar-se e estender-se ao mesmo tempo e sob um mesmo aspecto nas duas referências: a terra nacional e o mar internacional. O valor desse paradigma cultural para o quadro contemporâneo não pode deixar de ser posto na situação de absoluto destaque que é a sua.

O que estes dois episódios ilustram com eloquência, na banalidade cotidiana de suas histórias, é que neste universo de intensos deslocamentos de tudo para todas as direções — pessoas, coisas, ideias, informações, criações — a identidade passou por processo similar de renovação e adaptação. Os conceitos e modelos tradicionais de identidade evaporaram-se. A ideia de uma identidade nacional, derivada apenas de *um* solo ou, como se prefere chamar, um território definido, não mais basta para definir uma pessoa ou um grupo. *Identidades étnicas* se afirmaram, e depois as *sexuais*, como a das mulheres e dos homossexuais. As *identidades etárias* se seguiram: por reivindicação, de baixo para cima, como a dos jovens; e por uma interpelação de cima para baixo, ou de fora para dentro, como a da Terceira Idade. E a estas se somaram identidades de uma nova política, como a dos ecologistas. E, mais recentemente no cenário do ocidente, a dos fundamentalistas islâmicos, de mais longa data existente em seu próprio cenário de origem e que agora apenas irrompe, se desdobra e vem juntar-se a outros fundamentalismos como o da Milícia de Michigan nos EUA e seitas do tipo Verdade Suprema, do Japão, responsável pelo ataque a gás ao metrô de Tóquio na década de 90, do qual eu mesmo escapei por pouco e por acaso. E de tantas outras identidades se poderia falar. No Brasil, registra-se agora também a *identidade banditária*, se for possível forjar esse termo tão horrível quanto a realidade que recobre: a identidade do banditismo. Sem dúvida "inspirados" pela TV e por um fenômeno identitário contemporâneo, o da *identidade corporativa*, também os marginais atribuem-se uma identidade coletiva, inventamse uma *brand*, um *logo*, uma marca e a promovem enviando mensagens assinadas à imprensa. Ao estilo das siglas que conhecemos, FBI, FMI, temos agora no Brasil o PCC, esse "primeiro comando da capital" de um banditismo rasteiro e violento que se quer organizar assim como outros mais sofisticados o fazem[31]. Não há dúvida, este é o tempo das identidades em inflação.

A IDENTIDADE COMO OPÇÃO, NÃO DESTINO NEM OBRIGAÇÃO

Um novo entendimento conceitual da *questão* identitária se formou. O que parecia um destino, uma inevitabilidade — e um fardo, embora isto pouco se admitisse e se admita — tornou-se opção. As identidades, que eram achadas ou outorgadas, passaram a ser construídas. As identidades, que eram definitivas, tornaram-se temporárias, o que significa que uma mesma pessoa e um grupo, ao longo de suas existências, podem ter mais de uma identidade, da política à sexual — e, inclusive, para os que têm dinheiro, mais de uma identidade *étnica*, como demonstrou Michael Jackson, um dos personagens culturais mais vilipendiados da história recente por sua decisão de não ficar "em seu lugar", com isso irritando tanto os brancos que se viram invadidos em sua praia exclusiva pelo Outro quanto os negros que não aceitaram a "traição" à "classe" ou que se sentiram diminuídos pela ousadia que não puderam imitar. Tanto mais quanto o homem é cada vez mais um ser de *cultura*, não da *natura* — portanto, um ser que se define e se refaz, não um dado imutável.

Alguns insistem que a falta de definição precisa de uma identidade é no mínimo fonte de tensão para um indivíduo, grupo ou povo. Pior do que ter uma identidade fixa seria, por vezes se afirma, não ter identidade alguma. É generalizada a noção de que não há povo, nem indivíduo, para o qual alguma forma definida de distinção entre o eu e o outro não se estabeleça, o que se faria com a afirmação de *uma* identidade. E esse processo de distinção seria fundamental para o autoconhecimento, nunca desligado da necessidade de reconhecimento pelo outro. E assim será, acaso. Mas que essa identidade deva permanecer fixa, é outro assunto. E este é o ponto.

ALONE TOGETHER...

Essas identidades todas vieram à luz para várias coisas. Umas vieram para continuar fazendo o que as identidades duras sempre fizeram: excluir. São as identidades sociófugas, as que se isolam das outras e deixam de fora os que não são "do pedaço" ou, mais trágico, os infiéis. Outras são identidades de inclusão, identidades sociópetas e outras, ainda, acaso as mais interessantes, são as que não se preocupam com incluir ou excluir e se animam apenas pela ideia de *estar ao lado* ou,

[31] Por certo, a Máfia ou a Cosa Nostra tinham também sua identidade corporativa; a adoção de uma sigla feita de iniciais, porém, é sem dúvida mais contemporânea...

na palavra poética do jazzista Dexter Gordon, as identidades dos que gostam de estar *alone together*, sozinhos porém junto de seus iguais que são diferentes dos outros sem os quais não há a mútua validação que é o sal da identidade (e como arde, às vezes, esse sal...).

Alguém bem situado para falar de identidade, como Edward Said, por estar envolvido numa questão identitária pessoal (nasceu no Egito, de família cristã, educou-se nos códigos ocidentais e reside no ocidente) e por defender uma identidade coletiva que vê ameaçada (a palestina), manifesta-se de forma incisiva sobre a questão: "Uma das coisas que considero, não diria mais repelente mas, em todo caso, antagonística, é a identidade. Quer dizer, a noção de identidade única. O que me interessa, e aquilo sobre o que escrevo, é a identidade múltipla, a polifonia de muitas vozes jogando-as umas contra as outras sem precisar reconciliá-las, fazendo apenas o suficiente para mantê-las juntas".[32] Outro modo de falar em identidades flutuantes numa cultura flutuante. As identidades polifônicas na verdade já começam a existir nestes tempos de globalização. As migrações aceleradas para a Europa e para os EUA colocam os imigrantes num estado de tensão mas seus descendentes imediatos, numa situação de possível polifonia identitária. A reação a esse fenômeno nem sempre entusiasma os mais conservadores. Em lugar de aceitar a polifonia como uma das coisas mais positivas e um instrumento dos mais encantadores para o desdobramento da personalidade e da cultura — e não se deve olvidar a voz de Montesquieu[33] dizendo que nossa maior obrigação para conosco é ampliar a esfera de presença de nosso ser — em vários países, mesmo no aberto Canadá (*aberto* nos termos da realidade anglo-galesa), começam a vir à tona aspectos inquietantes desse deslocamento, realocação e redefinição de identidades. Em contrarreação, as comunidades étnicas minoritárias (*ainda* minoritárias) nesses países, em vez de superarem a questão do *território cultural* e passarem a participar de um *espaço cultural* mais amplo, como aquele do cozinheiro ou do vinicultor na TV, e que é sem dúvida nosso futuro *lugar comum*, começam a acreditar que o problema é preservar, contra as depredações intencionais do Outro ou contra as corrosões naturais provocadas pela dinâmica cultural contemporânea, uma identidade própria que é agora pouco mais que mera ficção. Mesmo assim, a aceleração rumo a uma identidade polifônica é uma realidade por toda parte.

POLIFONIAS

NO LUGAR DO TERRITÓRIO CULTURAL, O ESPAÇO CULTURAL

[32] Edward Said, *Power, Politics and Culture*, Nova York: Vintage Books, 2002.

[33] No ensaio sobre *O gosto*, publicado na *Encylopédie*; editado pela Iluminuras, São Paulo, sob o título *O gosto*, em 2005.

Mas... assim já era a cultura brasileira, e de longa data: uma cultura de identidades polifônicas. E o é desde a proposição da fábula fundadora das três raças que no Brasil sempre couberam muito mais no mesmo vaso social, ainda que não necessariamente na qualidade de complementares como na visão mais otimista, do que em vários outros países onde essas três raças, e outras, se viram como mutuamente incômodas, supérfluas, excedentes e excludentes. Um processo cultural em flutuação — algo bem distinto de um processo à deriva —, num território que nunca foi considerado indispensável ou privilegiado para o exercício da cultura (no que isso tem de bom *e de mau*), e que é animado por identidades que não sentem *nenhuma necessidade de perguntarem-se o tempo todo por suas origens uma vez que são polifônicas*, é na verdade, pelo que demonstra nossa experiência direta do mundo brasileiro e pelo que podemos isolar do anterior discurso sobre estas questões, aquilo que tem marcado a cultura brasileira há um bom tempo e ainda hoje. E é assim que se mostra agora a orientação de valor de uma parcela considerável da cultura contemporânea global. Se há diferença entre a cultura brasileira e a global, ela está em nossa maior "quilometragem rodada", em nosso anterior *know-how* destilado e refinado: se a Europa, numa ousada operação bem sucedida e própria da cultura flutuante, foi capaz em 2002 de abolir as várias moedas nacionais, fortes portadoras de outras tantas identidades nacionais fixas e tão dramaticamente defendidas, e da noite para o dia vê-las substituídas por um nova moeda comum, neutra, a cultura brasileira já se livrara décadas antes da monomania identitária atrelada à moeda ao conviver com uma sucessão de denominações do dinheiro das quais nossa identidade não dependia de modo algum e das quais aprendemos a nos libertar, com as quais não nos identificamos, das quais não dependemos para afirmar nosso ser. Esse *know-how* pode propor um modelo ou, como não tem, essa cultura brasileira, intenção alguma de propor-se como modelo, pode configurar um tipo *secular* de cultura animado por um dinamismo afetual poliorientado, e movido pela ideia da viagem em todos os sentidos da palavra, a oferecer-se sem intenções expansionistas como uma cultura apropriada para este século que, marcado pela flutuação cultural, a ela ainda reage com uma intolerância cada vez mais levada às últimas consequências. Um tipo de cultura, em poucas palavras, que é o de uma cultura — embora isso pareça hoje uma enormidade — em larga medida confortável.

UMA CULTURA DESCONFORTAVELMENTE CONFORTÁVEL

Essa sensação de conforto com a cultura brasileira nem sempre me acompanhou. Minha geração um pouco perturbou a si mesma (para não dizer que se envenenou) com a ideia de que, nesta cultura, tudo estava fora do lugar[34], nada prestava e tudo precisava ser refeito — de acordo com *um* figurino a ser definido sempre de cima para baixo, à direita ou à esquerda. E muitos desta minha geração contribuíram para perturbar a geração seguinte, para a qual lecionou na universidade, com o mesmo sentimento. E a geração ainda mais recente que não se perturbou diretamente com essas paixões negativas revelou-se em grande medida indiferente a tudo isso (para o bem e para o mal) dada a atual inexistência de modelos entusiasmantes, à direita como à esquerda. O que nela pode incomodar é que essa indiferença derrapa por vezes na direção do cinismo.

Diante desse cenário, há hoje uma função clara a desempenhar: pôr de lado o discurso lamentoso das alegadas negatividades de uma cultura flutuante onde nada ou não muita coisa, felizmente, está em seu lugar — as mulheres, os jovens, as cores étnicas, as origens, as margens, os centros —, e reconhecer o grau de conforto que essa cultura pode proporcionar na situação em que o mundo agora se encontra.

Não há ingenuidade alguma aqui. Nosso conforto é desconfortável. Nosso conforto ainda é em larga medida desconfortável. Econômica e politicamente. E é desconfortável porque a cultura móvel e flutuante é sempre uma cultura de risco, e o risco incomoda tanto quanto atrai. E é ainda desconfortável porque a cultura brasileira não consegue esconder (e acaso não o quer fazer) um mundo brasileiro perturbado e agora já conturbado onde muita coisa deve ser mudada. A começar pela cultura política, a cultura que, no sentido mais básico da palavra, permite viver junto, na polis, na cidade. Em seu longo processo de flutuação a cultura brasileira conheceu fases de *desmanche* cujos efeitos sentimos ainda agora, e com mais intensidade agora que em outros momentos. A constituição própria dessa cultura, no entanto, coloca-a numa situação favorável, no cenário histórico contemporâneo, para receber as necessárias alterações que a tornarão sempre mais confortável *sem no entanto perder sua condição de flutuante*. Considerando a dinâmica cultural mais ampla, é como se a cultura brasileira — ou *o cultural* que se agrega a uma realidade que ainda chamamos de brasileira — tivesse se preparado longamente para um encontro histórico consigo mesma e com o mundo, ao qual agora pode, mais que antes, oferecer (se for o caso) uma alternativa que o mundo neste momento (e ela mesma) tem mais condições de entender do que antes. Sob esse

[34] Sempre vale recordar que para Roberto Schwartz as ideias estavam certas, apenas o país é que estava "torto"... Mesmo assim, predomina essa noção de que aqui as ideias estão sempre fora de lugar...

aspecto é que essa cultura se revela uma cultura, na sua estrutura e no seu potencial, confortável, com suas ambiguidades, transitoriedades, mediações e flexibilidades.

Perguntado, um dia, no Brasil, por que continuava morando nos EUA e por que não voltava de vez para o Brasil, e por que voltava sempre para lá, quer dizer, para os EUA, Tom Jobim respondeu: "É que lá [nos Estados Unidos] é tão bom... mas é tão ruim, e aqui [no Brasil] é tão ruim, mas é tão bom..." Essa resposta de Jobim é uma tradução condensada de tudo que se coloca sob o manto da expressão "cultura flutuante". Quem puder compreender o que está por baixo dessa resposta que aproxima os opostos *sem fundi-los*, entenderá o que é a cultura brasileira e o que é uma cultura flutuante. Essa cultura retira um pouco o terreno sob nossos pés, a realidade que ela permite vislumbrar não é estável e não tem pontos de referência nítidos. Mas, aí reside o vigor de uma ideia e uma percepção na verdade nada novas: "sumiu tudo o que era firme, e somente / o fugidio permanece e dura", dizem dois versos de Quevedo. Hoje como já no tempo de Quevedo ou como Quevedo foi capaz de antever. Estamos, nós que falamos esta língua, numa cultura que começa a deixar de ser brasileira para incorporar-se a um *cultural* fugaz e largo. Nosso papel é, neste momento, o de manter esse cultural, não dar nenhuma marcha a ré conceitual na direção de imobilizações conceituais e comportamentais de toda espécie, das morais às políticas e às estéticas, agora que a dinâmica mundial aponta para a direção que trilhávamos. Mantê-lo e — num trabalho de sedução para o qual esse cultural está bem capacitado em sua larga variedade, que inclui o coração selvagem de Clarice Lispector e o coração politicamente correto de Jorge Amado, ampliar suas possibilidades de transformar-se num dos modos culturais confortáveis para este século.

POR UMA CULTURA EM TUDO LEIGA

"As fronteiras são ídolos que exigem sacrifícios humanos."
Claudio Magris[35]

Um bom título para este estudo teria sido "A sociedade contra o Estado", se ele já não tivesse sido utilizado por Pierre Clastres num livro de 1974 ainda não suficientemente lido. Em tempos *normais*, quer dizer, não marcados por alguma ditadura, em tempos daquilo que se convencionou chamar de democracia representativa — a democracia que está aí — esse é um título que faz pensar: por que estaria a sociedade contra o Estado?

Outro título adequado teria sido "O Estado contra a sociedade", passível de provocar a mesma reação: se estamos num período *normal*, democraticamente falando, por que o Estado, e não apenas o governo do momento, se mostraria contra a sociedade? Na verdade, esta reação expõe de modo claro um axioma dos mais centrais na sociedade dita civilizada: aquele segundo o qual a verdadeira sociedade é a que se desenvolve à sombra protetora do Estado, não havendo portanto motivo algum para supor uma oposição entre uma e outro quando a situação for normal. (O ponto: essa situação não mais é *normal*, em si mesma. Mas a isso voltaremos.) Reside aí, para usar outra expressão de Pierre Clastres, o obstáculo epistemológico mais duro a enfrentar na busca de um entendimento contemporâneo das relações entre Estado

Obstáculo cultural interior

[35] Prêmio Príncipe de Astúrias de Literatura, junho de 2004. Cláudio Magris nasceu em 1939, na cidade de Trieste. Fundada pelos romanos no século 1 a.C., Trieste passou sucessivamente para o domínio dos hunos, depois do império bizantino, dos lombardos, dos carolíngios e dos reis francos; no século 14 foi anexada à Áustria, depois ao império francês que dominava a Itália; no século 18 tornou-se reino independente, antes de cair novamente sob o poder austríaco; em 1919 voltou ao domínio da Itália e em 1945 a Iugoslávia tomou a cidade; em 1947 foi colocada sob a supervisão da ONU e dividida em dois territórios; uma parte, que incluía a cidade propriamente dita, tornou-se porto livre em 1954 e foi reintegrada à Itália enquanto a outra parte foi anexada à Iugoslávia e tornou-se depois território da Eslovênia quando ela se declarou independente em 1991. A proposição de Magris aqui transformada em epígrafe tem de onde extrair sua força emblemática...

e sociedade e na procura da vida mais adequada, da existência feliz, seja qual for o conteúdo dessa expressão. Fenômenos como os da globalização e do mercado, agora habitualmente apresentados como os principais opositores à felicidade das pessoas, são na verdade *obstáculos exteriores*, de força menor àquela que detém um certo obstáculo interior, o obstáculo cimentado no pensamento e no comportamento de cada um, a ideologia mais incorporada que se pode imaginar, aquela que arma esse obstáculo epistemológico. Sob essa luz, a famosa interpelação de John Kennedy — "Não pergunte o que seu país pode fazer por você, pergunte pelo que você pode fazer por seu país" — revela toda sua inadequação, para não dizer sua manipulação, em particular porque aquilo a que Kennedy se referia era, com toda evidência, não o país porém o Estado. E aqui cabe repetir a epígrafe de Cláudio Magris: "*As fronteiras*, ideia implícita nas noções de país, nação e Estado, *são ídolos que exigem sacrifícios humanos*".

Esta introdução deve bastar para pôr em evidência que a reflexão sobre este tema se faz, aqui, na chave de uma antropologia individualista e libertária, para ficar com a letra se não com o espírito de outro ensaísta contemporâneo a que voltarei, Antonio Negri.

INOVAÇÃO CULTURAL: A SOCIEDADE CIVIL

Quando se comemoraram, em abril de 2004, os 20 anos do fim da ditadura militar mais recente, a de 1964-84, surgiu a oportunidade de fazer-se um balanço das grandes mudanças na cultura brasileira pós-redemocratização. De várias linguagens e fatos culturais, estritamente falando, se poderia mencionar muita coisa sob esse ângulo. Mas ficou-me claro que essas seriam transformações inscritas na lógica de um quadro fechado e autorreferencial, por isso de certo modo evidentes, e que, de um ponto de vista mais amplo, a grande mutação *cultural*, em sentido amplo, na sociedade brasileira, havia sido o surgimento e, agora se pode dizer, a reafirmação da ideia e da prática da sociedade civil. Em 1971, quando aqui no Brasil atravessávamos o mais terrível período da ditadura militar — época do "Brasil: ame-o ou deixe-o", de trágica memória — em Vancouver, Canadá, um grupo de ativistas lançava-se ao mar num velho barco pesqueiro. A missão que se atribuíam era "dar testemunho" de um teste nuclear subterrâneo a ser realizado pelos EUA ao largo de Amchitka, ilha da costa oeste do Alaska, região das mais propensas a terremotos. Nascia ali a mais forte, mais respeitada e mais emblemática das organizações da sociedade civil, das ONGs, como viriam a ser chamadas: a Greenpeace. E, se for possível dizê-lo, com ela nascia o ativismo da sociedade civil como prefiro vê-la. Uma expressão nem sempre tão clara, por aqui. Durante a ditadura, "sociedade civil" era usada frequentemente com o sentido, pouco explícito, de algo que se opunha ao governo *militar*. Por vezes e sob certos aspectos, havia razão para que assim fosse. A famigerada fórmula "manifestação cívica", e outras da mesma família com esse qualificativo final, sempre quiseram dizer uma única coisa neste país: manifestação de sentimentos militares, manifestação organizada pelos militares, manifestação do culto militar, como aqueles desfiles do Dia da Pátria e as cerimônias de hasteamento da bandeira nacional no começo do dia escolar e que agora, perversamente, nestes anos de 2002 e 2003 que marcam o início de um governo que se queria e se pensava histórico, se tenta ou tentou ressuscitar por desejo presidencial[36]. No limite, "manifestações cívicas" como essas eram de fato "manifestações políticas", numa corrupção total da ideia mesma do que seja *civil*. O que talvez tenha ficado claro quando a ditadura encaminhou-se para seu final e, mais ainda, no pós-final, foi que "sociedade civil" é na verdade uma expressão que se formula em oposição, não a um regime militar eventual, mas à *sociedade política* como um todo, da qual o sistema militar é parte. De um lado está a sociedade política, com o Estado e seus instrumentos, corporações e aparelhos, entre eles os partidos políticos (que deveriam talvez ser instrumentos da sociedade civil mas que rapidamente se transformaram em instrumentos do Estado). De outro, a sociedade civil. Essa é a ideia central da sociedade civil: a sociedade que se distingue da sociedade política, que não pode ser resumida a esta, com a qual esta não se pode identificar e que a esta se opõe sempre e cada vez mais, o que pressupõe uma sociedade que cada vez mais se confronta com o Estado se a ele não se opõe, para voltar à questão do título deste estudo. A sociedade civil ergue-se também acessoriamente contra o mercado mas está fora de dúvida que sua primeira motivação de existência é a oposição ao Estado, tal como fez o primeiro Greenpeace em 1971. E isso, quer porque o Estado se omite ou se mostra incapaz de levar adiante suas tarefas básicas, quer porque procura meter-se em excesso ali onde ainda pode enfiar-se. Por certo havia interesses industriais por trás da corrida armamentista estatal que levou aquele ousado grupo a lançar-se ao mar numa incerta embarcação — e não poderia ter sido mais emblemática a imagem de uma sociedade civil vogando em mar imenso numa casca de noz para fazer frente ao mais poderoso instrumento de

[36] Também no Japão, neste ano de 2004, o governo procura tornar obrigatória a execução do hino nacional toda manhã, ao iniciarem-se as aulas. Vários professores que se recusam a cantá-lo, por terem viva a memória do frenético populismo nacionalista da época da segunda guerra mundial, estão enfrentando ameaças de demissão, algumas consumadas. Um pouco por toda parte, aproveitando-se dos receios diante das incertezas econômicas atuais que promovem as emigrações em massa, um nacionalismo xenófobo de direita e um populismo arcaico de esquerda se dão as mãos sem defesa de uma identidade passadista e ressuscitam práticas nacionalistas que se pensava sepultadas.

destruição da história da humanidade. Aquele momento histórico, de Guerra Fria e de guerra bem quente no Vietnã, era o momento do "complexo industrial-militar", expressão acertada da qual no entanto um componente deveria deixar de aparecer em filigrana para assumir o lugar que lhe cabe sob os holofotes: o Estado, perfazendo assim o "complexo estatal-industrial-militar", como fica outra vez claro nestes tempos de George W. Bush, Dick Cheney, Iraque e a empresa-polvo Halliburton. Não haveria complexo industrial-militar sem o Estado e era contra o Estado, tanto quanto contra o Mercado mas ainda mais fortemente contra o Estado porque era e é o Estado o instrumento do Mercado[37], que a sociedade civil em sua forma contemporânea emergia há três décadas. É esse o momento simbólico que marca o instante em que se começou, em que cada um de nós começou a romper, apenas começou a romper ou pelo menos a arranhar, o mais forte obstáculo epistemológico enfrentado pela sociedade na busca de si mesma: a ideia de que a sociedade existe para o Estado, que o Estado é o centro de tudo e que nada se pode fazer fora dele, inclusive, o que seria cômico se não fosse trágico, quando o alvo a atingir for o mercado. Fora da Igreja não há salvação, se dizia antes. Fora do Estado não há salvação, ainda se insiste agora. Não é assim, e o Greenpeace foi o primeiro sinal nessa direção.

Isto coloca em evidência que nutro alguma esperança utópica — os espanhóis dizem isso de um modo para nós, luso-parlantes, muito expressivo: "*tengo mucha ilusión, estoy muy ilusionado*" —, senão no desaparecimento total do Estado (isso seria demasiada ilusão), certamente na sua redução à mais contida das expressões de modo a permitir à sociedade civil todo o espaço de florescimento que por direito é seu. E é assim que toda vez que em seminários e simpósios ouço dizer que precisamos de mais Estado e de Estados mais fortes, ergo-me para lembrar que Estados fortes sempre foram parte do problema e não da solução, e que aquilo de que precisamos é, sim, de mais sociedade civil forte. Não quero defender a tese do fim do Estado, como aconteceu no início da história da ex-URSS quando um partido afirmou querer tomar o poder apenas para acabar com ele quando seu único objetivo era tomar o poder para exercê-lo na desmedida de suas possibilidades e nele permanecer. Esta é a mais plana evidência sociopolítica: não se toma o poder a não ser para exercê-lo. O que caberia perguntar é *por que as pessoas obedecem*, pergunta que também intrigou Pierre Clastres... É o exercício do poder, traduzido na polaridade ordem-obediência, que

[37] Em *O direito à Cidade*, de 1967 (São Paulo: Ed. Documentos, 1969), Henri Lefèbvre mostrava como o Estado se une à iniciativa privada para destruir a cidade.

põe a nu uma evidência que, exatamente por isso, se procura ocultar: a de que a sociedade existe para o Estado. Não tem qualquer sentido repetir o chavão demagógico de que o Estado existe para a sociedade: nas sociedades ironicamente ditas civilizadas ou desenvolvidas, aquelas que têm o que chamamos de História, e como mostra a História, a sociedade existe para o Estado, de um modo não encontrado nas sociedades ditas primitivas onde, como investigou Clastres, as pessoas seguem o chefe apenas enquanto lhes é conveniente e lhe viram as costas, de modo definitivo e imediato, assim que suas palavras ou ações não interessam ao grupo... Retomando, não creio que a solução seja o fim total do Estado. Sua despolitização, e por conseguinte a despolitização da sociedade, sim, é um começo — e estou outra vez com Antonio Negri quando ele reconhece que a despolitização do mundo por parte dos grandes poderes não é em si uma operação negativa quando se volta para a eliminação e desmoronamento de velhos poderes e formas de representação que não tem mais referência real. O Estado está enfraquecido, é uma realidade. E não apenas porque o Mercado toma as rédeas. O Estado está enfraquecido por sua forma não se ter adaptado às exigências complexas da sociedade e porque a sociedade está mais e mais desiludida quanto à possibilidade de, com esse instrumento, viabilizar aquilo que procura alcançar. Os sinais da deterioração desse apego da sociedade à sociedade política traduzida ou resumida na figura do Estado estão por toda parte, do Irã que precisa proibir o uso de antenas parabólicas assim como se fazia do lado de lá do Muro de Berlim enquanto ele ainda esteve em pé, à China que fecha os cibercafés, passando pela Coreia do Norte proibindo agora o uso dos telefones celulares certamente movida pelo exemplo de mobilização civil da Espanha em março de 2004 quando o poder arrogante do governo Aznar foi desnudado e destroçado, na sua derrota eleitoral, graças à rede informal, em ação típica da sociedade civil, armada pelos quase mágicos aparatos[38]. Isso tudo sem contar o recurso continuado de governos vários, de lá e de cá, à figura do *marketeiro político*, chamado a participar de reuniões ministeriais para

[38] Este fato, que deve entrar para a história das relações entre tecnologia e política, desmente a tese de que a sociedade civil tende a desmanchar-se nos buracos das redes eletrônicas contemporâneas, restando de um lado apenas as individualidades mutuamente afastadas e, de outro, as corporações sem centro e eventualmente algum Estado ou o que restou do Estado. Os acontecimentos de Espanha no que se convencionou chamar de pós 11-M (onze de março, dia do atentado praticado por terroristas islâmicos contra diversos trens metropolitanos ao redor de Madrid) indicam que a sociedade civil se organiza e se reúne e se dispersa conforme a densidade dos interesses comuns em jogo — e demonstra em todo caso que de modo algum ela está definitivamente pulverizada ou inerte.

orientar, não a ação do Estado, mas a *representação* da ação do Estado, e que é cobrado, mais que o próprio grupo ministerial, quando essa representação não funciona e o povo protesta: nessas ocasiões, não se muda a ação mas se muda, sim, o marketing político, as imagens do marketing político. Os sinais dessa deterioração estão por toda parte — e a sociedade civil também começa a aparecer por toda parte.

No campo da cultura, os papéis do Estado e da sociedade civil tornam-se sempre mais nítidos, de uma forma talvez impossível há algum tempo — tanto aqueles papéis que não mais têm sentido quanto os novos que se esboçam. No passado, como lembra Antonio Negri[39], a soberania nacional era afirmada pelo Estado, entre outras coisas, por meio do monopólio do poder exercido tanto no campo das relações internacionais quanto no âmbito de um território definido e unido por uma cultura única. Essa soberania hoje, na totalidade dos países periféricos, que são todos menos oito, conforme a autoproclamação não de todo injustificada do G-8, é vastamente inexistente. Para os periféricos, a soberania simplesmente desapareceu no campo internacional, onde seus simulacros de exércitos nada podem, e mantém-se ainda, de modo absolutamente precário, dentro do território nacional, e mesmo assim para ser contestada incessantemente pelos traficantes de todo tipo, pelos contrabandistas (inclusive pelo microcontrabandista familiar) e pelos múltiplos autores dos chamados crimes do colarinho branco que têm à sua disposição a desmedida rede da movimentação bancária irrestrita. Os Estados, em especial os subdesenvolvidos, não têm mais tampouco o poder de cunhar moeda ou, dito de outro modo, tornaram-se, eles mesmos, falsificadores de moeda, falsificadores da própria moeda: o papel que imprimem não tem,na quase totalidade dos casos, nenhum significado internacional e nem mesmo nacional diante do único dinheiro que ainda conta: aquele de cor verde. E o Estado perdeu também o último reduto que o legitimava pelo menos como representação imaginária: o da exclusividade cultural. Assim como o Estado não consegue manter controle sobre a totalidade de seu território e sobre as forças antagônicas que nele se movimentam, do mesmo modo não consegue manter sua *centralidade cultural* porque é atravessado incessantemente por fluxos culturais contrários e contraditórios sob todos os aspectos, inclusive o linguístico, que dele retiram todo o poder que um dia teve de comparecer como figura hegemônica do processo cultural. O Estado-Nação era sobretudo um território, uma língua, uma cultura, frequentemente uma etnia. Hoje, a desterritorialização das culturas é um fato e a primeira consequência que acarreta, embora isso não se

[37] *5 lições sobre o império*. Rio de Janeiro: DP&A, 2003.

queira admitir, é a diluição (virtual que seja — mas a imaginação é tudo...) da própria noção física de território. Um restaurante argentino no interior da Espanha, assim como um restaurante japonês no coração de São Paulo ou Paris, não é um simulacro do espaço originário argentino ou japonês, como acaso foi possível dizer há uma década ou duas, mas um fragmento concreto daquele território de origem que agora se desgarrou de seu leito original e flutua entre espaços criando seus próprios nichos de sentido. O mundo não mais é governado por sistemas políticos tradicionais de Estado mas por uma estrutura amorfa (para não dizer aberta) de poder, econômico e cultural, que não tem mais analogia significativa com o Estado-Nação: é um sistema apolítico descentralizado e desterritorializado, como diz Negri, sem mais nenhuma referência *necessária* a tradições e valores etniconacionais. Sua substância política, se ainda for possível recorrer a essa expressão, não é nem mesmo o internacionalismo que se mencionava nas primeiras décadas do século 20 porém o universalismo ou globalismo cosmopolita que Negri prefere denominar de cosmopolítico. E esse quadro exterior rebate-se na dimensão interior, que já não o é tanto: nas sociedades feitas de migrantes de todo tipo, locais e de fora, tradições e valores etniconacionais são cada vez mais uma ficção, inútil e perigosa, como o demonstram os fundamentalismos de variada natureza.

O CONTROLE DO CULTURAL

Se de um lado é verdade que o mundo é agora governado por uma lógica de poder aberto sem analogia com a figura do Estado-Nação[40], de algum modo, embora um modo paradoxal, também os países periféricos participam desse governo e o integram. Diz-se, por vezes, que esse poder não tem centro. Na prática, alguns Estados ainda são mais centrais que outros, mais iguais que outros. Sabendo disso, os Estados ainda periféricos insistem em entender que um último campo de ação lhes está reservado, como consolo: o cultural. Não podem decidir sobre sua vida econômica (ou participam da vida econômica tal como essa lhes é imposta ou sugerida desde esse *lugar nenhum* central) e não têm nenhum poder militar, nem sobre o que acontece fora deles, nem sobre o que acontece dentro deles[41]; assim,

[40] Com, ainda, uma única real exceção: os EUA.

[41] No final de junho de 2004, um tribunal brasileiro julgou um processo de reintegração de posse movido por um banco que teve suas terras invadidas pelo Movimento dos Sem Terra. O tribunal deu razão ao banco mas em vez de determinar que as forças públicas da polícia militar garantissem o cumprimento da ordem judicial, a sentença do juiz estabelecia que, não sendo possível ao estado atender a todas as necessidades e em vista de assuntos mais urgentes e de interesse mais coletivo dos quais a polícia tinha de cuidar, o interessado deveria recorrer à segurança privada para fazer valer seus direitos reconhecidos pela lei. Se isso não for o sinal mais claro da total falência do Estado naquele ponto que lhe é mais essencial, a ordem pública, nada mais o será.

querem crer que podem e devem, então, controlar o *cultural*, como derradeira instância sobre a qual pensam ser capazes de exercer algum poder, um poder com o qual talvez inconscientemente, quem sabe magicamente, esperam reverter a situação geral[42]. O resultado mais palpável dessa tendência é no entanto, em primeiro lugar, a exibição de uma esquizofrenia medular uma vez que as sociedades políticas que assim agem não costumam acreditar na centralidade social e política da cultura, vendo-a apenas insistente e reiteradamente como fenômeno de superestrutura dependente daquilo que "realmente importa", o econômico. Talvez o político. A tentativa de controle do cultural torna-se então ritual social desprovido de qualquer mito (nem manifestação de um eventual pensamento mágico ou selvagem é) que não seja o da tentativa imediatista e oportunista de controle do pensamento e da expressão e o da afirmação de um poder. Nessa lógica obscura, e obscurantista, encaixam-se tanto o recente projeto de lei do deputado federal brasileiro Aldo Rebelo proibindo o recurso a palavras de origem "estrangeira" (quer dizer, de origem estranha, sem levar em conta que para o ser humano do século 21 não apenas nada é estranho como nada é estrangeiro) quanto a criação, no Ministério da Cultura, de uma Secretaria da Identidade (e da Diversidade Cultural, em substituição a uma anterior, desta mesma atual gestão, intitulada Secretaria de Apoio à Preservação da Identidade Cultural). Um título que provoca calafrios. A cultura contemporânea, mais do que híbrida (o que pressupõe alguma cultura que eventualmente não o é, uma cultura pura inicial), é flutuante, e tanto uma providência quanto outra carecem hoje de sentido. Mesmo um documento como a Agenda 21 da Cultura cuja origem, apesar de distantes aparências em contrário, está ainda suficientemente vinculada à sociedade política e decorre da tentativa de implementação de outros documentos que são também da sociedade política, como a Carta do Direitos Humanos e a Declaração Universal da Unesco sobre a diversidade cultural, reconheceu, em 8 de maio de 2004, no seu artigo 13, algo que a antropologia cultural mais aberta já sabe há algum tempo, isto é, que "a identidade cultural de

A CULTURA NOTARIAL

[40] Em agosto de 2004, o governo do Brasil tentou duas investidas nesse campo. De um lado, propôs criar um conselho que vigiasse a prática do jornalismo e punisse os autores de reportagens ou editorias que esse mesmo conselho considerasse inadequadas, em típico procedimento que o governo militar dos anos 64-84 teria aplaudido. De outro, quis criar uma Agência Nacional do Cinema e do Audiovisual que, no artigo 43 de seu anteprojeto, conferia a esse outro conselho o poder de "dispor sobre a responsabilidade editorial e as atividades de seleção e direção da programação" das TVs. O desejo de intervir, controlar, impedir de dizer e forçar a dizer é claro. Alterações em ambos projetos que possam vir a ocorrer, ou mesmo o abandono de um deles, não apaga o fato central: a vontade estatal de controlar o que se diz e se representa.

todo indivíduo é dinâmica". Se a identidade cultural de todo indivíduo é dinâmica, o que inclui seus vetores mais imateriais tanto quanto aquele bem material (apesar de não ser assim chamado) que é a língua, não se entende como poderia ser possível, e menos ainda desejável, uma secretaria de Estado que busque *preservar* essa identidade. A ideia da *preservação* e a noção de *dinâmica* são antitéticas. No limite, o único modo de preservar algo que é dinâmico e que, portanto, não se sabe para onde vai e do qual por conseguinte não se sabe o que se poderá preservar, seria apoiar e preservar ao acaso todas as formas da diversidade como única probabilidade de favorecer aquele dinamismo. Apoiar a diversidade, porém, além de não ser o que essas providências de fato buscam, tornou-se rigorosamente impossível, materialmente, fisicamente impossível (para não mencionar o aspecto ideológico relativo ao conteúdo) do ponto de vista de uma *política cultural de Estado,* dado o leque imenso de opções. E se por preservar a identidade cultural o que se entender for o apoio às tradições culturais firmadas e tabelionadas (pois se trata nesse caso de uma cultura de tabelião, a cultura notarial, nome verdadeiro de muito do que se apresenta sob o rótulo de patrimônio histórico e cultural e que é aquela que expede "certificados de origem" e "de validade" do produto cultural), vale a pena mais uma vez ouvir diretamente a Antonio Negri, sob mais de um aspecto insuspeito. É radical sua aversão à cultura arcaica, quer isso se refira ao modo e tempo de vida do trabalho tradicional, agrícola ou artesanal, quer à representação mais estritamente cultural, uma e outra "encarnadas em mitos não efetivos", quer dizer, em mitos que não mais têm ascendência sobre o real. Sua posição a respeito não admite meias-medidas nem meias-verdades: não há mais espaço para a nostalgia da defesa do Estado-Nação, "daquela barbárie absoluta de que deram prova definitiva Verdun e o bombardeio de Dresden., Hiroshima e Aschwitz", lista à qual eu acrescentaria os atos, em catadupa, da URSS, da China maoísta, do Estado pinochetista e do Estado dos ditadores brasileiros cunhadores daquele Brasil do "Ame-o ou deixe-o" que uma conhecida rede nacional de televisão transformou em grito primal de afirmação patrioteira que continua em vigor hoje, 30 anos após o momento de sua criação, 20 anos depois do fim do período em cujo seio nasceu. O Estado-Nação, continua Negri, nada mais é que uma ideologia falsa e danosa, à qual se opõem as redes de movimentos que, "como tudo aquilo que acontece livremente no mundo", são múltiplas e diferenciadas. Toda tentativa de impedir o desdobramento desses movimentos, esses realmente libertários, é reacionária e expressa operações sectárias[43]. A consequência desse enunciado político relativo ao Estado-Nação no campo estritamente cultural ou da cultura estrita é clara. Por certo, seria um despropósito promover a erradicação daquilo a que, sem que isso seja jamais assim definido e anunciado, se chama de cultura arcaica e é entendido tradicionalmente como vetor da identidade cultural. Toda tentativa, porém, de ancorar aí a identidade cultural que, como até a Agenda 21 reconhece, é dinâmica, não passa de manifestação profundamente anacrônica ou, como diz Negri, reacionária e sectária. Esse anacronismo é patente ainda numa outra proposta com que nos deparamos aqui mesmo no Brasil, no início de 2003, quando a secretaria de comunicações do governo federal (não se tratava sequer do próprio ministério da cultura) quis determinar que as operações de incentivação cultural feitas pelas empresas ditas estatais ou de economia mista fossem feitas prioritariamente em manifestações da "cultura popular", não de cultura dita erudita, normalmente aquela cultura que é crítica. Tampouco dessa vez, como em outras no passado, o sentido do que poderia ser entendido como "cultura popular" foi explicitado; sua enunciação é feita como se seu conteúdo fosse claro e seu entendimento, pacífico. Cultura realmente popular hoje, início do século 21, é a televisão e, de modo mais amplo, o audiovisual. Certamente não era a isso que se referia a mencionada portaria secretarial, cujo horizonte, não há como ver de outro modo, remetia à ideia de uma cultura nacional que por ser nacional deveria ser popular e que, sendo popular, seria nacional, uma e outra portadores da identidade cultural que se busca preservar e que vem predefinida pelo aparelho do Estado. O que se tem neste caso é mais uma manifestação do Estado contra a sociedade, isto é, do Estado centralizador e unificador contra uma sociedade hoje de cultura fluida e flutuante. O Estado que assim procede não acredita que a identidade de todo indivíduo seja dinâmica,nem que deva poder reunir as condições para assim ser. O Estado *não pode* acreditar que a identidade de todo indivíduo seja dinâmica. Esse Estado não quer que a identidade de seus súditos seja dinâmica. Para o Estado, a unidade é a norma. Como diz Clastres, o Estado é o Um, o Estado é o Uno, o Estado é o triunfo do Uno ao passo que a sociedade civil é cada vez mais múltipla, cada vez mais diversa — como reconhece, aliás, um membro da própria sociedade política como a Unesco, voz cultural da ONU. Como diz um personagem de Godard, o indivíduo quer sempre ser dois, o Estado quer sempre estar sozinho, ser Um, ser o Um. Não adiantará muito lembrar que para alguma sociedade dita primitiva, como a guarani, o Um é o Mal, em

[43] Negri, op. cit., p. 35.

contraponto à crença dita ocidental e civilizada de que o Uno é o Bem. Mas, deve servir para lembrar, pelo menos, que a ideia de que o Uno é o Bem *não* é a única ideia possível. Os movimentos da sociedade civil, como a rede de celulares espanhóis que em março de 2004 acabou de derrotar um governo já batido, ao lado das flutuações, das migrações, do nomadismo do qual Michel Maffesoli faz o elogio, da mestiçagem e do hibridismo de Nestor G. Canclini, são a força cultural de libertação e florescimento não mais apenas do indivíduo mas do sujeito e da subjetividade — no dizer radical de Negri, são mesmo a força a ser usada contra a subordinação a ideologias reacionárias como a nação, a etnia, o povo e a raça. Esse Estado que quer uma cultura una já se dissolveu, sem que o admita, no rio-corrente da história. A insistência em arcaicos paradigmas culturais é sinal do profundo desconhecimento do que seja a dinâmica cultural no início do século 21 por parte dos que hoje se instalam nos aparelhos de Estado. Talvez seja, pelo contrário, um sinal de compreensão apropriada do que ocorre hoje na cultura e uma vontade de contrariá-la intencionalmente na busca não apenas do poder como da manutenção no poder por parte de uma sociedade agora negada cada vez mais, por toda parte: a sociedade política. Nenhuma das duas hipóteses é elogiosa para os implicados.

UMA CULTURA DE PARADOXOS

Essa dinâmica cultural é de fato complexa e aberta à incompreensão, para além de seu caráter já por si incerto e pleno de paradoxos. Não é fácil, porém, determinar em que medida essa incompreensão, geradora de distorções, deriva da simples crença de que a questão da cultura está inteiramente aberta aos palpites dos não-especializados ou de uma aposta ideológica específica e determinada, nos dois sentidos desta palavra. Dizendo isso, penso na questão da diversidade cultural. Mesmo quando aparece nos documentos mais esclarecidos produzidos por ramos esclarecidos da sociedade política por vezes mais avançada, sob algum aspecto, como a UNESCO, costuma-se implicitamente (e muita coisa fica estrategicamente implícita quando se fala de cultura...) entender que a diversidade de que falam as cartas e convocações que hoje se difundem por toda parte é uma diversidade de grupos, de coletivos e de grandes coletivos que no limite identificam-se outra vez às... nações, quando não aos Estados. De tal forma que garantir a diversidade cultural, nesse entendimento, seria uma operação dos Estados, cuidando outra vez cada um do seu, do seu próprio, do seu que lhe é supostamente específico. Em outras palavras, o que se faz é entender que proteger a diversidade é proteger a identidade e *uma* identidade, esta identidade deste território, quando aquilo que de fato se trata é da proteção e da estimulação de toda a diversidade, de toda

DIVERSIDADE CULTURAL E A DIVERSIDADE PERVERSA

DIVERSIDADE E SUBJETIVIDADE

ela. A diversidade da cultura nesta época deve ser entendida em seu sentido mais radical, porque diversidade não apenas de um território em relação a outro território exterior como *no interior* do próprio território, da própria nação, do próprio Estado — e esta não é uma diversidade dos grandes grupos mas das *singularidades*. Singularidades que podem formar um conjunto e se reforçar nesse conjunto mas que nem por isso deixam de ser singularidades. Ao contrário do que foi a regra antes de maio de 68, mesma regra que pela específica situação da ditadura brasileira esteve também em vigor por aqui, já é hoje possível recorrer a uma outra palavra com o mesmo sentido de singularidade porém com marca e conteúdo mais forte. Não se trata mais do coletivo, nem do indivíduo que nada mais é que a unidade do coletivo, mas do sujeito e de sua subjetividade, que não é nunca individual porém, pelo contrário, divisível constantemente. A subjetividade é o vetor da diversidade, como a arte sabe muito bem, e no cerne do dispositivo de formação da subjetividade está aquilo que Antonio Negri descobriu tardiamente: o internacional, o global. Digo tardiamente (e antes tarde que nunca, claro) porque o internacional sempre esteve no programa da arte (embora não necessariamente no da cultura, é certo) que foi reiteradamente combatido pelas mais diferentes instituições, entre elas a igreja e o Estado além daquela mesma ideologia que o próprio Negri esposou tão fanaticamente nos anos 70 e que agora ele revê.[44] Mesmo para os que enxergam a diversidade e a necessidade da diversidade é difícil admitir, por trás dela, na qualidade de sua mola e sua meta, a subjetividade — e fica-se outra vez nessa condição esquizofrênica, comum na cultura, que é a admissão e a promoção da diversidade desde que ela se conforme ao formato dos grandes coletivos nacionais e estatais que por definição... repelem a diversidade. O desconhecimento do internacional e do cosmopolita como núcleo de constituição da subjetividade contemporânea leva mesmo o atual ministro da cultural do Brasil, um ministro de resto até aqui bastante iluminado, a lamentar que a arte contemporânea brasileira se mostre, nos termos do ministro, elitista por rejeitar as supostas características nacionais...

A política cultural da contemporaneidade marcada pela pluriemergência da sociedade civil tem então de levar em conta essa multiplicidade de subjetividades. Pode fazê-lo? É viável uma política cultural para as singularidades, desde a perspectiva em que se coloca o

[44] Antonio Negri esteve envolvido com as Brigadas Vermelhas na Itália e seus atos de terrorismo, o que lhe valeu prolongado exílio na França e uma pena de prisão ao retornar a seu país em 1997.

Estado? Do ponto de vista quantitativo, nas atuais circunstâncias, e sob o ângulo do conteúdo, a resposta é não. As singularidades são legião[45], os recursos mostram-se ínfimos e critérios justos para decidir quais singularidades contemplar inexistem e não podem ser formulados. Diante dessa impossibilidade, a opção pela política do coletivo, do geral, não apenas é conservadora, reacionária ou sectária, por contrariar toda a tendência contemporânea, como irrelevante e, ao final, inútil.

Diante das singularidades múltiplas constituídas por essa subjetividade de vocação internacionalista, as únicas políticas culturais agora possíveis são as formalistas, isto é, as que não se ocupam do conteúdo, as que não apoiam um programa específico de valores, abrindo-se apenas para a implementação dos recursos que permitem aos conjuntos de singularidades inventarem seus fins.[46] Não se trata sequer de falar em recursos para que os conjuntos de singularidades alcancem seus fins, uma vez que não há fins a serem alcançados: apenas fins a serem inventados. Sob esse prisma, não há como minimizar ou ocultar o fato de que a aprovação das leis de incentivo fiscal, nos últimos instantes da ditadura ou nos primeiros da nascente democracia incerta e possível, constituía-se não apenas numa conquista da sociedade civil cansada da intromissão do Estado na cultura como na materialização de um dos formatos das políticas culturais formalistas. Como a memória curta é um fato, ouve-se com frequência hoje que o Estado se oculta atrás das leis de incentivo para justificar sua inação na cultura. Não foi assim. A criação das leis de incentivo fiscal à cultura, a serem operacionalizadas pela sociedade civil, correspondeu a um esgotamento do modelo de intervenção do Estado na cultura, um Estado que não demonstrava vontade de admitir certas possibilidades de conteúdo cultural ou que decidia e decide discricionariamente sobre a conveniência e oportunidade de aplicação das magras verbas previstas no orçamento. Esse poder discricionário tem um nome burocrático: contingenciamento do orçamento. Em outras palavras, mesmo o pouco que o Estado, e o Estado brasileiro, destina à cultura pode ser suspenso indefinidamente e eliminado discricionariamente conforme sua decisão sobre a conveniência ou não de se proceder ao que ainda é chamado

[45] Walt Whitman reivindicava que não era um mas que, pelo contrário, continha em si uma multidão, ideia que a seu modo Mário de Andrade repetiria.

[46] Em *Usos da cultura*, um livro de 1986 (Paz e Terra), eu já identificava práticas correntes de políticas culturais formalistas, como as aplicadas na Inglaterra em relação a centros de cultura que hoje se diriam "terceirizados" mas que eram, em outras palavras, o reconhecimento do papel da sociedade civil no processo cultural, subsidiada pelo Estado.

de gasto quando a palavra, em cultura, é investimento. As leis de incentivo, como definidas na legislação brasileira, impedem pelo menos em parte esse obscurantista recurso burocrata do Estado. Os recursos existentes e destinados à cultura são para serem efetivamente aplicados — e com as leis de incentivo de fato o são. Falhas e desvios, demasiado evidentes[47], são para ser corrigidos na trilha dos dois únicos modos de política cultural hoje admissíveis para o Estado: o da *coordenação* e o da *cooperação cultural*. Inaceitáveis são as tentativas recentes de secretarias de estados e municípios, e mesmo do ministério, de apropriar-se de parte e da maior parte dos recursos que a sociedade civil havia conquistado com as leis de incentivo. Leis de incentivo não são para o Estado, que não detém mais o monopólio da centralidade cultural, não se define mais por uma cultura unívoca e não mais tem nem condições econômicas para atender ao florescimento das singularidades, nem de distinguir entre o que fazer e o que não fazer, o que apoiar e o que não apoiar. A situação decorrente de um estado de coisas marcado pela existência de leis de incentivo não é ideal, nem mais ideal que aquela verificada quando havia uma razão de ser para uma política cultural *de conteúdo* por parte do Estado. Nem menos ideal. O conflito entre as singularidades não é assim dirimido, nem eliminado. O conflito continua, sob outra figura. O conflito é inerente à ideia de cultura que não se apoia no *hábito* mas na única coisa que a rigor justifica a cultura, ou a parte excelente da cultura: a crítica, o questionamento, a procura.

CULTURA E CONFLITO

Já é um ponto pacífico que o Estado deve ser leigo, neutro em relação à religião. Ou era, até há pouco tempo: investidas contra esse princípio estão sendo feitas insistente e consistentemente e não apenas no longínquo oriente que, em tempos de globalização, já é *aqui*, ele também — tanto o oriente quanto o Haiti. O próprio presidente da república brasileira que sancionou a primeira lei de incentivo fiscal à cultura, que leva seu nome, sancionou também uma outra que manda inscrever em todas as cédulas do dinheiro simbólico em circulação neste país a expressão "Deus seja louvado", cópia adaptada do refrão consagrado naquele que ainda é o único dinheiro verdadeiro do mundo, o norte-americano. O leilão das ondas da televisão e do rádio para os grupos de proselitismo e exploração comercial da religião são outro atentado à laicidade da ideia da coisa pública, do espaço público no Brasil. Mas, digamos que dentro de certos limites, embora cada vez mais estreitos, a ideia da neutralidade do Estado diante da religião está

A LAICIDADE CULTURAL

[47] Um deles é a concentração dos recursos pelas próprias corporações que recorrem aos incentivos e criam seus centros de cultura, em concorrência desleal com instituições culturais tradicionais que se solidificariam se pudessem contar com análogos recursos.

consagrada. É agora o momento, neste início século 21, de explicitar a *laicidade cultural* do Estado. A religião do Estado leigo moderno foi, e tem sido, a da cultura nacional e da identidade nacional, expressas numa fórmula que se pretende neutra, a identidade cultural — e da cultura nacional por excelência que seria a cultura popular definida como essa cultura existiu antes na era pré-televisão. Essa religião cultural do Estado não tem mais razão de ser. No mínimo porque, nas palavras de Jorge Luis Borges, o nacionalismo é a menos perspicaz das paixões.

A OBRIGAÇÃO DE *NÃO-FAZER* CULTURAL

Também diante dessa realidade deve afirmar-se o programa individualista e libertário a que me referi e que apenas a sociedade civil tem condições de levar adiante. Como reconhece Gustavo Carámbula, num texto ainda inédito[48], "o Estado não tem legitimidade" (nem filosófica, nem legal, diria eu ali onde Gonzalo diz "ni teórica, ni en la norma") para determinar ou delimitar as formas de expressão cultural e artística das pessoas, nem para pretender incidir nos conteúdos das obras. Isso pertence ao campo dos direitos essenciais das pessoas e nesse âmbito o Estado tem a obrigação de *não fazer*". Por isso, continua Gonzalo, a prioridade é retirar o "estatismo" das políticas de estado. Em suas palavras, entre a obrigação de zelar pelo desenvolvimento cultural e qualquer forma de imposição do "valor oficial" da cultura há uma distância antagônica e irreversível. O reconhecimento da legitimidade de ação da sociedade civil neste assunto e da necessidade de criar-lhe as condições para que exerça seu papel — abrindo-lhe espaços legais e orçamentários — não atende a todos os desejos envolvidos e não dirime todos os conflitos. Mas é o único modo visível de tirar o estatismo das políticas culturais antes de se chegar ao ponto que aparentemente hoje ainda não há como aceitar: a total ausência do Estado nos assuntos da cultura. Novamente, essa abertura para a sociedade civil não elimina os conflitos. O fato é que o conflito é inerente à cultura e em qualquer hipótese a situação resultante da ejeção do estatismo das políticas culturais é um decidido passo adiante na direção do que já vem sugerido na Agenda 21 para a Cultura em seu artigo 11 da seção "Princípios", que reafirma a necessidade de buscar-se um ponto de equilíbrio entre o interesse público e o privado, de modo a evitar tanto os excessos do mercado como os da institucionalização da cultura — privilegiando a iniciativa autônoma dos cidadãos, individualmente ou reunidos em organizações.

E há ainda um motivo para afirmar a precedência da sociedade civil diante do Estado: o Estado não tem a ver e não pode ter a ver com

[48] "Três inquietudes", apresentado no seminário "Cultura y ciudad sostenible", realizado em Valparaiso, Chile, novembro de 2003, a ser publicado proximamente em São Paulo pela Arte sem Fronteiras.

O DIREITO À CULTURA

a cultura porque, como aprendi com Jean-Luc Godard, o Estado não pode amar. E a cultura, em todo caso a melhor parte da cultura que é a arte, é uma questão de amor. Coincidentemente, ou talvez não seja mera coincidência, também um autor que citei aqui várias vezes, Antonio Negri, diz hoje que o poder da multidão é sua capacidade de amar, poder que ele por inferência não enxerga no Estado — o amor, essa força capaz de criar e implementar o desejo de emancipação com o qual Estado tal como existe não pode sequer sonhar. O conceito de multidão por ele manipulado é na verdade discutível e não cabe descartar a desconfiança de que por trás dessa ideia de multidão se esgueira para dentro da nova arquitetura conceitual desse autor as velhas ideias anti-individualistas, antidireitos subjetivos (entre eles o direito à cultura singular) e pró-disciplinares, pró-autoritárias por ele defendidas em seus tempos de militância clandestina na Itália convulsa dos anos 70. Mas, que se registre pelo menos essas duas vozes que não hesitam hoje em afirmar uma condição, para a cultura e a política cultural, desconhecida pelo Estado, agora como antes: o amor. A sociedade civil em expansão não é impermeável a esse sentimento e é possível pensar numa sociedade civil mundial baseada numa concepção ecológica da cultura (como aliás reconhece a Agenda 21 no artigo 2 de sua declaração de princípios) que se torne interlocutora do atual ordenamento global — uma sociedade civil animada por um espírito de governança cosmopolita, *culturalmente leigo*, isto é, realmente civil. Uma sociedade que nos faça esquecer esses ídolos que exigem seus sacrifícios de sangue: as fronteiras — todas elas, as geográficas, as políticas, as culturais.

* * *

UM CASO FELIZ

Disse de início que não se trata exatamente de pregar a eliminação total do Estado. Trata-se, antes, de construir um novo modelo de Estado capaz de abrir espaço para a realidade contemporânea, que é a da sociedade civil, um Estado que seja para a sociedade civil e não contra ela. No campo da cultura, temos no Brasil um embrião do que pode ser esse Estado e essa sociedade civil cultural, um embrião exemplar na figura do SESC, Serviço Social do Comércio. O SESC é uma organização da sociedade civil, quer dizer, não regida diretamente pelo estado, mas que existe porque existe uma disposição legal que define um tributo (atribuição do Estado) capaz de mantê-la viva: aquele tributo que para o SESC recolhem os que trabalham no comércio. O SESC é outra forma de delegação à sociedade civil de um poder e uma atribuição do Estado, uma delegação do Estado daquilo que foi considerado um dever senão um monopólio do Estado. É verdade que tivemos muita sorte com os recursos humanos do SESC que hoje temos, e de que é exemplo destacado o caso de São Paulo. Poderia ter dado errado, poderia ter dado muito errado. O SESC poderia facilmente ter-se tornado, como estava de certo modo previsto, o braço cultural de um estado fascista, o braço cultural de todos os fascismos que tivemos. Com isso quero dizer que, do ponto de vista de sua *origem*, definida pelo Estado e na sua dependência para continuar saudável economicamente e produtivo, o exemplo do SESC não é o melhor. Um acidente da história, como os muitos que acontecem, o salvou. Talvez, e digo *talvez* porque o retrocesso sempre é possível, o sucesso de sua fórmula possa propor-se em embrião de um modelo de Estado para a sociedade civil na cultura ou, nos termos da Agenda 21, de modelo para o atendimento equilibrado dos interesses públicos e privados. Um modelo que vale a pena preservar, emular, aprimorar. É um modelo muitas vezes mais estimulante que todos aqueles que se pode encontrar na história da política cultural brasileira feita diretamente pelo Estado. É um modelo que não esgota todas as possibilidades e que não contempla o atendimento a todas as subjetividades. Não deve ser, portanto, um modelo que elimine as complementaridades. Mas, se há ou deve haver um Estado para a sociedade civil no campo da cultura, sua definição passa pela compreensão do papel de entidades como o SESC.

CULTURA E NEGATIVIDADE

1. O INERTE CULTURAL

Um tema recorrente nas discussões atuais sobre cultura e política cultural diz respeito às relações entre cultura e violência ou, o que não é exatamente a mesma coisa, às relações entre cultura e paz e ao papel e à representação da violência na cultura atual, bem como às possibilidades de recorrer-se à cultura como instrumento de promoção da paz em seus diferentes modos e, de forma mais ampla, da vida com qualidade. Este tema servirá aqui como pretexto para a discussão do que chamo de *inerte cultural* e das relações entre a *cultura objetiva* e a *cultura subjetiva*, central para a possibilidades de formulação de políticas públicas centradas na cultura.

VIOLÊNCIA NA CULTURA...

Os *modos de representação da violência* na cultura atual não constituem assunto inexplorado, pelo contrário. E de um modo ou de outro sabe-se o que é a violência, tanto do ponto de vista teórico como, nós do Sul mundial, por tê-la experimentado na vida de maneira menos ou mais crua, menos ou mais letal, em nossas cidades crescentemente inabitáveis. Mas, talvez não se compartilhe uma mesma ideia, não só quando se fala de cultura, como, também, nem mesmo quando se fala de cultura diante da violência e de cultura do ponto de vista da violência. Assim, em vez de abordar a representação da violência na cultura cotidiana quero explorar alguns dos modos de *representação da cultura* diante de nossa violência cotidiana. Em outras palavras, quero relembrar e investigar *como* se tem pensado e se pensa a cultura em relação à violência e à promoção da qualidade de vida, *de que modos* se espera que a cultura tenha uma atuação benéfica no quadro de desespero mal disfarçado que vivemos, *quais* as reais possibilidades de retirarmos da cultura algo de proveitoso para a vida humana neste mais que conturbado início de século 21.

...E A CULTURA DIANTE DA VIOLÊNCIA.

Por falar em ser humano, sabemos que ele sempre busca, e sempre busca prioritariamente, o prazer, a felicidade e a ilusão. Se me ocorrem essas palavras é por saber que correrei o risco de desagradar o leitor, recusando-lhe um pouco a experiência dessas três coisas, sobretudo (e talvez) a ilusão, em todo caso aquela que se pode ter numa situação de debate intelectual e que costumeiramente vem na forma de um discurso positivo em relação ao uso da cultura no trato com a violência (nem direi "no combate à violência"). Sei como os discursos positivos, que falam da profusão do possível sem mencionar a limitação do real, entusiasmam e reconfortam, dando-nos uma sensação agradável que dura, por vezes, uma tarde inteira... Sei como esse discurso é até mesmo necessário em certas circunstâncias, e sei que aqueles que não o praticam são vistos como conservadores ou irrelevantes. Correrei o risco.

Das representações da cultura em relação à violência reterei aqui, para discussão, cinco: três figuras a esta altura clássicas, uma quarta acaso menos difundida embora disponível há algum tempo e uma quinta (com uma variante) que levantarei ao final, de modo tentativo.

Não iniciarei com a proposta de Aristóteles sobre as relações entre cultura e sublimação não apenas por ser amplamente conhecida como porque ela está hoje mais do que posta em xeque: a experiência estética da violência representada tanto purga a paixão da violência quanto lhe abre as portas, é uma evidência que não se consegue mais contestar.

PRIMEIRA FIGURA: A CULTURA COMO REFÚGIO

A primeira figura desta série é, então, a da cultura como a cereja do bolo, configurada na imagem do recurso à cultura como polimento adicional do indivíduo, um verniz suplementar, e cuja imagem eloquente localizo na prática das famílias burguesas ainda nas primeiras décadas deste século, no Brasil como, um pouco, por toda parte. Assim como era um hábito cultural difundido entre as famílias cristãs fornecer um filho à Igreja, como sacerdote, a família burguesa típica, cristã ou leiga, até meados do século 20 devia contar entre seus membros com alguém capaz de tocar um piano e entoar um *lied* depois do jantar — geralmente a mãe ou um dos filhos, quase sempre uma das filhas — a título de *divertissement* íntimo ou modo de edificação do espírito no recesso do lar, longe da barbárie do mundo e em seguida ao banquete da carne. De passagem, nada contra os banquetes da carne, embora possa ter algo contra as edificações do espírito... Todos estão familiarizados com essa figura da cultura diante da violência, por certo. De fato, ainda é assim que veem a cultura a maioria dos políticos, à esquerda e à direita, e uma boa parcela dos que podem promover a cultura: como um assunto privado, sinal de distinção e reconforto, que se oferece quem pode e quer (e para o político de esquerda, habitualmente assim deve ser tanto mais se essa cultura for sobretudo a dita "erudita"). Imagem que se complementa com a ideia geral de que a cultura tem seu lugar intramuros enquanto lá fora reina o caos — imagem de dois mundos que não se comunicam e não querem se tocar. A noção central aqui — e a esperança — é a da cultura como um refúgio, um mundo à parte.

A segunda representação em que me detenho é aquela legada pelos discursos bolcheviques mais radicais e exemplificada na ideia da queima dos museus, imagem que traduzia a ânsia e a obsessão de acabar com o que viam como a cultura velha, burguesa, a impedir o surgimento do novo homem, mas também a crença de que a cultura, entendida como uma nova cultura, poderia servir de parteira do novo homem e da nova sociedade. A cultura velha era a violência assim como a cultura nova seria, ela também, uma violência, aquela opressora e esta, necessária e supostamente libertadora. Como prescreveu Georg Lukacs[49], a nova cultura era inconcebível a não ser como revolução, e a revolução era a violência (outro nome da violência, nesse sistema ideológico: "política revolucionária de massa") que seria legítimo opor à violência da política estabelecida. Representação que fez e faz cócegas em muito espírito contemporâneo. Independentemente de uma discussão sobre o conteúdo e a justificativa dessa proposição, trata-se de uma representação formalmente voluntarista da cultura e que acima de tudo, como se exporá mais adiante, evidencia, aos olhos de hoje, um desconhecimento da dinâmica cultural revelado explicitamente nos manuais que ditavam os caminhos necessários da felicidade ordenada, no duplo sentido permitido pelo termo: felicidade "regulada" e "imposta". Não conheciam como funcionava a cultura estabelecida, a cultura objetivada, que *estava ali*, e desconheciam, portanto, como poderia constituir-se e operar a cultura que buscavam implantar e desenvolver e que naquele estágio se poderia descrever como sendo a cultura subjetiva dos bolcheviques — embora certamente sentissem eles, os bolcheviques, um autêntico horror epistemológico e ontológico à menção da palavra "subjetiva", se a ouvissem...

SEGUNDA: A CULTURA É A VIOLÊNCIA.

Uma variante dessa segunda representação é, do mesmo modo, suficientemente conhecida. Forneceu-a Paul Joseph Goebbels, educado nas universidades de Bonn, Berlim e Heidelberg (é sempre útil recordar essa qualificação), líder do partido nacional-socialista de Berlim a partir de 1926 e membro pelo voto popular do parlamento alemão, o Reichstag, em 1928[50]. A imagem que busco recordar, como já se sabe, é

[49] *Histoire et conscience de classe*. Paris: Gallimard, s.d.

[48] É relevante, neste contexto, recordar que a 1 de maio de 1945, no bunker de Berlim em que também se encontrava Hitler, depois de mandarem matar seus seis filhos com uma injeção letal aplicada por um médico da SS Goebbels e sua mulher ordenarem que um ordenança os matasse a ambos com um tiro.

a de Paul Joseph Goebbels (ele tinha nome e sobrenome) dizendo aquela frase conhecida quando ouvia pronunciada à sua volta a palavra *cultura*. Não importa se ele de fato a pronunciou e se o fez sob aquela forma ou outra: importa a imagem que dele subsiste e que de alguma forma representa um modo de entender a cultura (o imaginário é a única coisa que realmente conta, é bom lembrar). E não se trata de imagem excessivamente distinta daquela fornecida pelos bolcheviques, quem sabe apenas ainda mais extremada. Recordo-a hoje porque se políticos, prelados e empresários, inclusive de esquerda, não mais sacam seus revólveres ou brandem seus artefatos religiosos, sejam eles livros sagrados, crucifixos ou qualquer outra coisa, quando ouvem a palavra "cultura" — o que é um enorme progresso, não devemos ser cínicos quanto a isso — mesmo assim não deixam de desconversar e olhar para o lado se a escutam mencionada. Já é um grande avanço porque uma outra etapa foi superada nesse percurso: aquela em que, ao ouvir a palavra irritante, esboçavam um condescendente, irônico e não tão furtivo sorriso: não é mais possível fazê-lo hoje, pelo menos não em público.

Esta representação da cultura, em suas duas vertentes, ainda continha em si uma dimensão da violência cuja evidência tornou-se irretorquível à medida em que o século avançava: a da fusão da cultura, tanto em seu sentido de instrumento de ação política imanente quanto em seu significado de uma entidade abstrata e absoluta, com seu equivalente prático, o Estado — fusão que será, acaso, a forma máxima da cultura como violência. Nisso coincidiram tanto os revolucionários bolcheviques quanto alguém que lhes seria o oposto perfeito, o idealista Matthew Arnold, para quem cultura era luzes e espiritualidade[51]...

Ambas imagens desta representação são eloquentes de uma ideia da cultura como algo incômodo e talvez nefasto e que, por sua vez, tem de ser reproposta praticamente nos mesmos termos daquela que se quer substituir, isto é, nos termos da violência — e não apenas *uma* cultura em particular como, eventualmente, *toda* cultura tal como tradicionalmente reconhecida nas formas consagradas ditas "eruditas", traduzidas nas obras de literatura, teatro, artes, música. Os demais formatos culturais, destacadamente os populares ou folclóricos (nos quais os intelectuais, sob o império desta representação da cultura, eram aconselhados a buscar a verdade básica da nova sociedade) passaram ao longo do século 20 a ser mais bem aceitos em todas as esferas e por todas as ideologias...

A estas duas figuras contrapõe-se uma terceira, permeando toda uma sociologia moderna e contemporânea emblemática do desejo de

[51] *Essays in Criticism*. Londres: Dent, 1964.

uma boa consciência da sociedade, ou *para com* a sociedade, e que se manifesta no propósito de desenvolver a *educação correta* dos grupos sociais visando a paz social, a inclusão social, o diálogo social. É a que se apresenta nas propostas, mais do que nos estudos, segundo as quais a moral, os costumes, o direito, a ciência, enfim todas as formas constitutivas da sociedade e do imaginário humano, e entre elas sobretudo a cultura e a arte, *devem* contribuir para a reforma do homem e da sociedade. Eu disse *devem* e não *podem* porque disso se trata: da elaboração de uma agenda impositiva que designa funções e papéis para a cultura e a arte sem saber se a natureza ou a constituição de uma e outra se presta ou *em que condições e graus se presta* ao que delas assim se espera, em especial quando comparadas ao direito e à ciência, por exemplo. Dessa orientação resultou um discurso sociológico simplificador, "bom samaritano", tedioso como uma litania, que tomou conta de muitas universidades ao longo do século 20, com ênfase maior a partir dos anos 50 e 60 embora a força do hábito cultural, e nada pior que um hábito cultural, lhe tenha dado uma sobrevida inútil ao longo anos 80 e 90. E que reapareceu no cenário político do Brasil a partir dos primeiros anos do século 21 (de modo ainda mais enfático, a partir de 2003). Um discurso sociológico redutor e edificante que poucas alternativas conheceu ou tolerou e que mais recentemente assumiu a forma do *politicamente correto* em seus variados modos. E que lançou suspeitas de reacionarismo sobre todo outro discurso que optasse pelo reconhecimento dos impasses da cultura e dos impasses culturais do ser humano e, consequentemente, sobre todo aquele que buscasse o simples entendimento, para nem falar na defesa, de práticas culturais sociais alternativas, não necessariamente positivas ao ver dos padrões vigentes — como as várias manifestações de nomadismo conceitual, político e sexual dos jovens e de alguns menos jovens. Discurso que também suspeitou dos que procuraram e procuram compreender, sem preconceitos teóricos, várias das realidades da vida moderna, como o dinheiro ou a arte abstrata ou a velocidade e o simulacro, sem desde logo condená-las e sem contrapor-lhes alternativas *heroicas* tão ao gosto das primeiras décadas do século 20 e, de modo específico, ao longo dos anos 60, sobretudo na América Latina.

Terceira: a boa cultura, a cultura para *o social*

Essa terceira representação da cultura diante da violência diz respeito à ideia da cultura como uma instituição repleta de positividade, e apenas positividade (a cultura como algo *bom*, como o *bem*), por isso capaz de promover a grande reforma do homem e da sociedade (atolados no pântano da civilização moderna, vista como o *mal*), numa visão não muito distinta daquela consagrada pelos teóricos da Crítica

Cultura: positividade e...

Cultural (*Kulturkritik*) da qual Thomas Mann e Ortega y Gasset foram expoentes. Se para visões políticas como as do bolchevismo e nazismo a cultura (existente) era supérflua ou má, sobretudo a partir do final da segunda guerra mundial a cultura passou a ser vista como genericamente boa — sem nela se enxergar paradoxo algum e nenhuma contradição, coisas de que a cultura no entanto está cheia. Ao simplismo *destruidor* do começo do século 20, erigido em paradigma político, contrapõe-se o simplismo *construtor* da segunda metade e, em especial, do quarto final do século, outro sólido paradigma cuja força de enraizamento na consciência dos homens e das mulheres foi tragicamente revelado na reação totalitária à observação de Stockhausen diante do ataque terrorista ao World Trade Center em Nova York. Naquela ocasião, Stockhausen disse que o atentado às torres gêmeas de Nova York era a maior obra de arte de todos os tempos, palavras cujo centro nocional não estava na superfície evidente do que diziam mas na ideia — repelente para um século embebido de um iluminismo repleto de pragmatismos rasos — de que também a arte, e com ela a cultura, contém uma parcela de negatividade que não pode ser olvidada e, mais, *que não pode ser eliminada*[52].

...NEGATIVIDADE

Minha reflexão sobre esta terceira representação da cultura, hoje dominante, principia por um problema cultural que com frequência é posto na mesa de discussão sobretudo por aqueles que contestam a ideia de que a cultura deva ser considerada o centro de toda política pública — isto é, por aqueles que ainda insistem que a base de tudo é a economia e que tudo pode ser explicado e reformado a partir da economia, inclusive a violência social. Essa questão é assim formulada e conhecida: à época do nazismo, a Alemanha era, com a França e talvez mais que a França, o mais denso centro cultural do mundo; então, por que aquela cultura toda não impediu os horrores desse período tenebroso da história da humanidade?

POR QUE A CULTURA NÃO IMPEDE O HORROR

> Essa questão, hoje já com aparência vetusta, pode ser expressa com outro exemplo: Na manhã do dia em que assassinou John Lennon, David Chapman havia comprado um exemplar (mais um, parece) *de The catcher in the rye*, de Salinger, e o tinha consigo no momento do crime. Como alguém que se propõe ler um livro como esse pode cometer um crime contra uma pessoa como aquela? E um sequestrador foi preso em São Paulo, na casa onde mantinha seus reféns, enquanto lia Tolstoi...

[50] Este tema voltará a ser tratado no final deste capítulo.

Um indício de uma primeira resposta poderia ser esboçado com o encaminhamento que se possa dar a outra pergunta: *Onde,* na Alemanha, alojava-se realmente aquela cultura toda, *por onde* circulava aquela cultura, *quem* efetivamente participava daquela cultura, *quem* a exercia? Para empregar uma expressão típica do momento atual do pensamento sobre a cultura, essa cultura toda em que se pensa quando se aponta para a Alemanha nazista fazia parte de uma *cultura comum* ou não? A ideia de uma *cultura comum* pressupõe que a função da cultura pode ou deve ser a constituição desse amplo tecido que sustenta e ao mesmo tempo recobre um grupo social. Que a cultura, as culturas seria melhor dizer, não circulam todas pelas mesmas esferas é uma grande evidência — insuficiente, no entanto, para fazer entender a questão proposta e, menos ainda, encontrar-lhe uma solução. Isto porque trabalhar com um conceito como o de *cultura comum* implica frequentemente uma visão um tanto mecânica do processo cultural, visto como algo cujos componentes se deslocam de um lado para outro ou não se deslocam e se misturam ou não se misturam, a exemplo do que ocorre num problema de dinâmica dos líquidos. É uma abordagem que se preocupa com a dimensão horizontal do processo cultural: para ela, a cultura circula sobre uma dada superfície e todo o problema está em saber por que ela se concentra menos ou mais ao longo desta ou daquela região de uma dada *linha de nível,* de um mesmo plano que se supõe uniforme. É uma visão da qual decorre a noção de que a *democratização cultural* é antes de mais nada uma questão de *difusão da cultura*. Há no entanto algo mais em jogo, aqui. Que a cultura não circula por toda parte, naquela Alemanha como hoje em todo lugar, é uma evidência que, de seu lado, não chega a explicar muita coisa.

A CULTURA DO MUNDO E A CULTURA DA VIDA

Um começo de resposta mais satisfatória para essa questão pode ser vislumbrado nos indícios de que o *mundo* vem tendo sua culturalidade ampliada progressiva, constante e enormemente, sem que a cultura da *vida* tenha evoluído do mesmo modo (e em cultura uso sempre essa palavra, *evolução*, no sentido em que a usamos no carnaval brasileiro: a evolução de uma escola de samba pela avenida, quer dizer, os deslocamentos mais ou menos ordenados e resenháveis dos passistas de um lado para o outro e para a frente e para trás, criando figuras que, estas, retêm e fornecem o sentido maior do desfile). Dito de outro modo, e aqui entramos nos domínios da quarta representação da cultura que interessa a nosso tema, a *cultura objetiva* que se identifica e se registra nas instituições culturais (museus, universidades, bibliotecas) tem sido vastamente ampliada enquanto a *cultura subjetiva* (que de algum modo — longínquo —

poderia corresponder àquela cultura objetiva) nem de longe evoluiu do mesmo modo.

CULTURA OBJETIVADA, CULTURA SUBJETIVA

A expressão "cultura objetiva", de delicado manuseio e que neste sentido tomo de Georg Simmel[53], não é de todo inadequada mas será talvez conveniente complementá-la com uma outra, "cultura objetivada", quando não substitui-la por esta, pelo menos no território deste estudo. A cultura objetiva é aquela cultura que o hábito e as regras reconhecem como tal — fenômeno hoje muito mais amplo que antes e que inclui não apenas as artes clássicas como muita outra coisa. Ao lado dela, a cultura objetivada é, "mais simplesmente", aquela que se projeta para fora do campo magmático da ideação, que se extrai da profusão do possível e assume uma forma material específica no contexto limitado do real. O termo "objetivada" será talvez menos discutível e menos pretensioso ao *não* sugerir "algo evidente, que não se pode discutir" e ao propor apenas algo *que se reconhece como tal*, sem implicar juízos de valor. Em contraposição a este primeiro modo cultural, a cultura subjetiva é aquilo que a cultura objetivada será mais tarde, modificada: é a parte da cultura objetivada que penetra na subjetividade e com ela se funde e é, igualmente, por outro lado, aquilo que eventualmente jamais será reconhecido como cultura objetivada ou objetiva. Pode ser a causa e o efeito da cultura objetivada. Pode ser informe, como estágio inicial da cultura objetivada, e é por vezes demasiado estruturada, como projeção e introjeção da cultura objetivada. Mas pode ser apenas uma cultura privada, pessoal, um idioleto, nem sempre em consonância com a cultura objetivada — como a cultura dos criadores mais poderosos no momento em que suas propostas não são sequer reconhecidas como formas culturais válidas, caso de artistas como Pablo Ruiz y Picasso no instante em que pintava *Les demoiselles d´Avignon*, 1907. No trajeto entre os polos da indefinição embrionária ou da forma alternativa, de um lado, e da forma imobilizada, congelada, reificada, do outro, a cultura subjetiva cobre o vasto universo relativamente amorfo do imaginário, que inclui o real imediato e seus diferentes modos de representação. É muito menor e ao mesmo tempo muito mais vasta que a cultura objetivada — e este é apenas um e certamente não o maior dos paradoxos da cultura. É essa distância entre uma e outra cultura que explica exortações como a de Rimbaud e tantos outros no sentido de que é preciso ser absolutamente moderno, quer dizer, que é preciso que minha cultura seja tão moderna quanto pelo menos a parte da cultura geral que é representada como objetivamente moderna...

[53] *Philosophie de l'argent*, Paris: PUF, 1999.

Esta cultura subjetiva foi há muito e muito largamente superada em amplitude e conteúdo pela cultura objetivada e por esta de certa maneira minimizada, por vezes intencionalmente diminuída pelos discursos ideológicos que pregam o coletivo, qualquer que seja, como um valor maior que o *individual*. Nem por isso a cultura objetivada se afirmou nesta parte do mundo que ainda chamamos de ocidente: reina mas não governa, como certa realeza. Evitemos o recurso a alguma expressão que dê a ideia de tratar-se de um fenômeno essencialmente atual, como por equívoco se faz com a noção de globalização. Como este, trata-se de um processo em andamento, *a work in progress*, cujos pontos de intensificação são aqueles instantes de adensamento cultural que resultam de inovações técnicas salientes: a pintura no interior da caverna, o uso da pedra na estatuária e na arquitetura, depois o retábulo e em seguida a iluminura e o vitral da igreja medieval e, mais tarde, da catedral gótica, a tela pintada que pode viajar e ser mostrada ali e mais além, e a imprensa, e a máquina a vapor que move uma carruagem dispensando os cavalos, depois o telégrafo sem fio, o telefone, a luz elétrica e a fotografia, em seguida o cinema, a televisão, o computador pessoal, a Internet — sem falar na filosofia descrita como idealista depois revista pela que se apresenta como materialista e à qual se segue a pragmática depois comentada pela pós-estruturalista e por aí vai...

A cultura objetivada se instala no mundo como uma espécie de máquina solteira. Surge em mais de um *topos* mas deles se separa e segue sozinha seu percurso, que nem percurso às vezes é: apenas *está aí*, em movimento fantasmático, sem outro programa (para usar um termo da cultura objetivada atual) que não ela mesma, ocasionalmente afirmando que pretende ocupar-se da cultura subjetiva mas sem ter com ela *necessariamente* uma conexão real. Todo o problema, ou grande parte dele, parece estar nessa *disjunção*, nessa cesura, para recorrer agora à terminologia dos anos 60, entre a cultura objetivada e a cultura subjetiva. O estilo de vida, o comportamento, as propostas de uma sociedade são uma variável da *relação que existe entre sua cultura objetivada e a cultura dos sujeitos sob seu alcance*, sabendo-se que sempre a cultura total de uma comunidade será mais vasta e variada (não necessariamente mais rica) que a cultura de cada um de seus componentes (particularmente a cultura totalizante — se houver uma...). Voltando então ao caso da Alemanha sob o nazismo: o cenário disponível para aquele momento permite uma fotografia que, revelada e examinada agora com os recursos técnicos de que dispomos, nos fornece a imagem de uma situação que, no momento histórico sobre o qual a fotografia se detém, não dispunha do significado que ora lhe atribuímos. Vista desde hoje, ou desde o momento em que os historiadores das mentalidades começaram a dedicar-lhe atenção, aquele momento da Alemanha surge como um titã cultural. A República de Weimar, de 1919 a 1933, parece a utopia enfim realizada. O *novo* surge por toda parte e o estoque cultural da Alemanha dos séculos anteriores é retomado e reavivado. A cultura objetivada, *vista de nosso atual ponto de observação*, é enorme. Mesmo à época, a cultura objetivada *pode* ter parecido portentosa, embora sem dúvida nada tão portentosa como a imagem que dela hoje fazemos, a quase oitenta anos de distância. Mas, essa fotografia *nada* revela sobre o único processo cuja lógica poderia responder àquela já clássica pergunta sobre por que essa cultura toda não impediu os horrores daquele momento, e que é o processo da participação da cultura subjetiva naquele banquete objetivado (supondo que esse banquete não tivesse nenhum prato estragado, do ponto de vista do conteúdo). A fotografia das culturas subjetivas não existe a não ser em casos isolados (e nem sempre satisfatórios) como os retratos individuais que pesquisadores ocasionalmente montam de um dado período desse arco histórico ou de um determinado indivíduo, a exemplo de Peter Gay e seu estudo sobre *O século de Schnitzler*, autor da novela que deu origem ao filme *Eyes Wide Shut*, de Stanley Kubrick, novela que provavelmente, apesar de seu intrínseco valor, não seria hoje lembrada não fosse pelo filme de Kubrick, o que diz muito e quase tudo sobre o atual processo cultural. E é uma fotografia que, quando existe, nessa forma *não diz muito*, por ser a de uma cultura individual, de todo singular: seu caso não é padrão.

Não se trata de dizer que está aí, nesse *acúmulo de cultura*, nesse excesso de cultura, a causa dos crimes da Alemanha nazista pós-33 (essa é uma questão que o racionalismo iluminista ainda em vigor não tem como enfrentar, portanto vamos deixá-la de lado; outro modo de dizê-lo: essa é uma hipótese atrevida demais e, quem sabe, perigosa demais). Mas, reconhecendo que há tantas outras coisas a considerar e que esta abordagem diz respeito a um aspecto limitado da questão cultural, é possível dizer que toda aquela cultura objetivada da Alemanha no período destacado *não tinha* como evitar muita coisa porque já naquele momento, como agora, na Alemanha como no resto do mundo, aquela porção de cultura que se pôde reconhecer como tal, a cultura objetivada, não tinha sobre a cultura subjetiva da massa ou do grande número ou do homem comum e mesmo de *alguns* homens com *alguma* formação, uma projeção à altura da dimensão que lhe era e é atribuída, de modo que a pergunta ou é falsa ou está mal colocada: não havia nenhuma grande cultura capaz de impedir crime algum porque a cultura em questão era uma *cultura passiva*, essencialmente inerte. Essa cultura objetivada e objetiva é o que prefiro chamar de *inerte cultural*. O que vemos, quando erguemos perguntas como aquela sobre a Alemanha nazista e a cultura, é o inerte cultural. Aquilo com que a política cultural opera é *sempre*, em princípio e a princípio, o inerte cultural. O que enxergamos sempre à nossa frente, como um enorme iceberg pronto a acionar o que Hans Magnus Enzensberger chamou de "o princípio Titanic" embora não pensassse nos termos culturais aqui discutidos, é esse inerte cultural.

O INERTE CULTURAL

O *inerte cultural* permite que identifiquemos uma falha na hegemônica representação da cultura que hoje conhecemos, a da cultura como positividade, e que consubstancia outro dos paradoxos culturais, outra das tragédias da cultura. A cultura surge do eterno conflito entre a cultura da vida, a cultura subjetiva, produtora de formas culturais ativas postas em prática aqui-e-agora pelos *indivíduos criadores* (insisto nessa expressão) e as formas culturais reificadas, relativamente congeladas, que constituem a cultura objetivada. A cultura objetivada está repleta de formas vazias, estruturas ocas preservadas nessa esfera e oferecidas ou auto-oferecidas como modelos às pessoas mas que são formas carentes de vida, carentes de animação, e das quais as pessoas inertemente não podem desfrutar assim como não podemos desfrutar, a não ser simbolicamente, da luz das estrelas que vemos nos céus: *vemos* que estão ali e mais *sabemos* do que vemos que emitem luz, mas é uma luz de todo irrelevante para nós, uma luz que não cai sobre nós. A tragédia é essa: a cultura objetivada é como uma geladeira criônica que mantém em estado de suspensão as formas possíveis da cultura subjetiva. Formas que as pessoas pensam estar vivas quando delas tomam conhecimento mas que na verdade já se petrificaram muito antes de imaginar-se que elas pudessem sequer existir: um pouco como a explosão de uma galáxia captada agora pelos telescópios e naves interplanetárias mas sucedida num passado dos mais remotos. Quando se fazem perguntas como aquela sobre a cultura alemã e a os crimes nazistas é para essa geladeira que se está olhando. A expressão *inerte cultural* é para ser entendida de modo consideravelmente literal.

Como se explica esse processo de *evolução* de uma cultura que se pode chamar de *cultura das coisas ou do mundo*, a partir de sua própria dinâmica solteira, sem que a cultura subjetiva se desenvolva analogamente no mesmo ritmo? A divisão do trabalho, a especialização do trabalho e a alienação do trabalho, do trabalho transformado em mercadoria, já foram lembradas para explicar pelo menos parte do processo. O próprio Simmel, um pensador bastante original e ainda marginalizado pelo hábito cultural hegemônico que manda recorrer aos pensadores ditos dialéticos, recorre a esta hipótese. Inclusive para explicar o caso do trabalho intelectual — embora aqui a explicação não mais funcione, hoje. O pintor renascentista podia elaborar um retrato a óleo com instrumentos que ele mesmo tinha condições de preparar em sua quase totalidade, do pigmento de cor ao pano esticado sobre o chassis de madeira e à elaboração, ela mesma, do retrato pintado. Ao contrário dele, o artista de hoje, do artista plástico ao diretor de cinema, envolve-se com um processo cujos componentes todos — do material aos aos recursos humanos (uma boa expressão: não se trata mais de *pessoas*, mas de *recursos humanos* equivalentes aos *recursos de matéria prima*) que se encarregam das diferentes etapas, os quais ele não domina e com os quais nem sempre se envolve. Essa distância interna entre o ato de produzir e o produto final, inclusive e sobretudo no campo da cultura, ao ver das análises impregnadas pelas cores marxistas, inclusive boas análises mais finas do que as marxistas mas que destas bebem, responderia por uma parte do distanciamento entre a cultura objetivada e a cultura subjetiva. Na verdade, essa explicação, quando referida pelo menos ao processo artístico contemporâneo, cai por terra uma vez que vários artistas hoje intencionalmente sequer tocam na matéria que constitui suas obras e sequer veem os que a executam, como Jeff Koons, e nem por isso se *alienam* de seu trabalho, pelo contrário. Mas, essa é outra história.

> Penso em Jeff Koons mandando fazer em porcelana uma "escultura" de Michael Jackson, em tamanho natural, e mandando-a fazer a partir da orientação que ele, artista, dá a artesãos chineses especializados em porcelana, no outro lado do mundo, de tal modo que o artista, ele mesmo, sequer toca na peça, que recebe pronta. Nem por isso, pelos padrões atuais, deixa ele de ser o único autor da peça, assim como nem por isso ele se aliena de seu significado.

Essa hipótese de inspiração marxista não resiste, porém, aos instrumentos de análise de que hoje dispomos. É provável que a explicação, se adequada, esteja no fenômeno mais amplo no qual a divisão do trabalho se encontra e não nessa divisão ela mesma. Refiro-me ao processo da Modernidade e sua resultante, a divisão e a autonomização das diferentes esferas e categorias pelas quais vemos o mundo e com ele nos relacionamos: a divisão entre Estado e Igreja, e entre Igreja e Arte, e entre a Ciência e a Igreja, e entre a sociedade civil e a política, e entre ambas e a religiosa. Quando as explicações tradicionais relativas à divisão do trabalho e à alienação do trabalho foram levantadas, o etnocentrismo europeu de seus autores não se via confrontado por nenhum outro fato histórico evidente que pudesse contestá-lo ou relativizá-lo. Agora, esse outro fato histórico impõe-se a nossa consideração com uma força que não se pode deixar de notar e torna mais claros certos aspectos do processo. O fato a que me refiro são as nações muçulmanas nas quais aquelas cisões da Modernidade Ocidental não ocorreram e onde nenhuma ou quase nenhuma distinção se faz entre Estado e Igreja e Arte e Ciência e Moral e sociedade política e sociedade civil. Na verdade, uma parte do mundo sob vários aspectos nunca penetrou na Modernidade Ocidental, e se o fez foi por pouco tempo e apenas na tênue superfície (aquela superfície, usualmente de origem técnica, que sempre termina por romper-se e explodir... na própria cara e na cara dos outros...). O radicalismo fundamentalista de alguns estados muçulmanos, embora com as brechas já vislumbradas num sistema como o iraniano (abertas à força sobretudo pelos jovens), é indício de que vivemos hoje dois tempos, duas eras a princípio irreconciliáveis. E se me refiro a isto é porque numa nação ainda sob vários aspectos pré-moderna, como o Irã, não se registra a rigor uma forte distância entre a cultura objetivada e a cultura subjetiva, pelo menos de público mas não apenas na esfera pública. O princípio dessa cultura é claro: tem-se aqui de fato, em grande parte, uma cultura comum e não apenas isso mas uma cultura *ainda em grande parte* compartida coletivamente e interiorizada por cada um, ao ponto em que não se pode falar na existência, ali, disseminada e assumidamente, de uma cultura subjetiva. Não há ali, ainda, cesura cultural notável, em princípio (sabemos que ela existe, no cotidiano real; mas as oposições à cultura objetivada assim manifestas não bastam ainda para nos permitir falar na existência, ali, de uma dupla esfera cultural como a conhecemos no Ocidente). A divisão do trabalho e a alienação do trabalho existem também nesses países, como no Ocidente. No entanto, cultura objetivada e cultura objetiva (ainda) se fundem numa só. A questão, portanto, não se restringe ao aspecto da divisão do trabalho: é bem mais ampla que isso.

Se a causa do distanciamento entre uma e outra cultura fosse a divisão do trabalho já seria uma enorme dificuldade eliminá-la, no Ocidente. Trata-se de um processo de produção embutido na dinâmica social contemporânea a um ponto que apenas uma catástrofe histórica parece agora capaz de transformar — e será inútil, por retórica, insistir nessa denúncia. É preciso atender à demanda do consumo cultural adequado à sociedade de massa, sociedade que aumenta numericamente sem a orientação de qualquer política social de planejamento, como se o formato e as possibilidades dos recursos humanos e do planeta fossem infinitamente elásticos. E o que ocorre é que o consumo cultural é ele mesmo, por sua natureza, um poderoso elo na cadeia de reificação da cultura em formas objetivadas cada vez mais distanciadas da cultura subjetiva, cultura que não apenas não pode acompanhar a velocidade de expansão da cultura objetivada como, em muitos casos, encolhe-se para dimensões sempre mais restritas. E desse modo, uma cultura em expansão e uma política cultural que hoje necessariamente (por hábito, na verdade) aposta nessa expansão são, elas mesmas, obstáculos a intrometerem-se entre a cultura do mundo, objetivada, e a cultura da vida, subjetiva, entre a cultura dos ideais e a cultura das práticas.

E se a causa do distanciamento entre ambas culturas residir no princípio mesmo que deu origem à Modernidade, alojada nas proposições do Iluminismo e alimentadora das divisões acima mencionadas entre Estado e arte, Estado e religião etc., simplesmente não será possível eliminá-la a menos que o mundo volte atrás enormemente. Não contem comigo para essa operação, que é no entanto uma possibilidade no horizonte histórico no caso de alguma grande catástrofe natural ou, mais provável, provocada pelo homem. Mas não contem comigo para apressá-la. Se o preço a pagar pela divisão entre aquelas categorias todas for essa distância entre a cultura objetivada e a subjetiva, talvez fosse o caso de ter bem claro que vale a pena pagá-lo ao mesmo tempo em que se buscam as alternativas para reduzi-la, se existirem.

O fato aí está: o processo cultural em intensificação crescente desde a modernidade apresenta-se como um processo de geração de formas cada vez mais esvaziadas de conteúdo, por uma ou outra das razões comentadas e provavelmente por ambas concorrentemente. Detalhe: essa forma vazia não é necessariamente um mal. Separar arte e Igreja foi uma maneira de esvaziar o conteúdo da arte num primeiro momento. Mas a arte se recompôs — embora a sociedade diante da arte talvez não. E o mesmo aconteceu com a sociedade civil em relação à sociedade religiosa.

As formas vazias

> Tanto é assim que, como insisto em lembrar, no Brasil ainda é comum encontrar-se o crucifixo atrás da mesa do delegado de polícia ou do juiz de direito, embora no Brasil o Estado e a Igreja sejam entidades divorciadas por lei.

Faz parte do processo cultural, imemorialmente, produzir formas esvaziadas de conteúdo, formas congeladas: a memória da cultura é feita disso. Esse efeito, no entanto, se adensa após a Modernidade. A isso, embora não só a isso, se pode chamar legitimamente de negatividade da cultura, em todo caso um dos aspectos dessa negatividade, uma negatividade que a cultura carrega em si e é ativada toda vez que se põe o mecanismo cultural em ação. Não estamos sequer falando aqui no conteúdo específico da cultura, por exemplo no conteúdo da cultura naquele momento da Alemanha; não estamos nem pensando se o conteúdo daquela cultura, sua mensagem digamos assim, era ou não favorável à prevenção do crime que se iria cometer. Trata-se de um processo formal. As coisas culturais que nos cercam tendem a parecer-nos — a nós mesmos e não apenas a esse cômodo eufemismo que frequentemente usamos e que é o "homem moderno" — distanciadas de nós, impessoais, regidas por um sistema a- e anti-individual, pertencentes a um universo dotado de uma lógica própria estranha à nossa vida, à vida humana, e que cada vez toca menos em nossa sensibilidade. E o problema é de quantidade e de qualidade.

A NEGATIVIDADE DA CULTURA

> Por exemplo, os filmes gerados no regime das grandes produções não são feitos mais para alcançar o público, não são feitos para tocar a sensibilidade de um público: são feitos para atender à lógica de uma operação financeira, razão pela qual sequer são feitos para permanecerem em cartaz pelo maior tempo possível e nem, paradoxalmente, ao alcance do maior público possível: são feitos para ficarem em cartaz um máximo de três a quatro semanas, em locais estratégicos, quando então se pagam e dão o retorno buscado; o resto é fringe benefits, lucros adicionais. Do mesmo modo, nos países desenvolvidos paga-se a agricultores para que não produzam ou joga-se fora o que se produz em excesso: o objetivo não é o indivíduo mas a lógica fechada do sistema econômico. Num caso e noutro, a sensibilidade humana não é tocada.

Combater a violência contemporânea com a cultura - ou melhor, uma vez que não existe a cultura mas sim uma cultura objetivada e outra subjetiva: retomando, combater a violência contemporânea e promover a "inclusão social" com a cultura objetivada vertida de cima para baixo nos moldes das culturas subjetivas não é algo que se possa fazer no contexto da representação da cultura promovida pelo pensamento politicamente ("culturalmente") correto em vigor e que vê a cultura como um reservatório de positividades. Há aqui um erro quanto ao objeto (a cultura não é apenas positividade), quanto ao método (espalhar a cultura não leva por si ao que se pretende) e quanto à estrutura do fenômeno (são duas as culturas, e a fusão de uma na

ERRO QUANTO AO OBJETO, QUANTO AO MÉTODO E QUANTO À ESTRUTURA DO FENÔMENO outra não é técnica dominada, nem talvez desejável). Isto quando se recorre à cultura para uma coisa e outra, o que está longe de ser a regra.

Nosso problema é como incorporar, à evolução da cultura subjetiva, os conteúdos culturais objetivados, e isso por meio da culturalização das categorias que fazem a mediação entre a cultura subjetiva e a objetivada com as quais concebemos o mundo e a vida. Nosso problema consiste em entender que a cultura é, como a vida, paradoxal e contraditória, e que a obra cultural nasce da vida mas dela se destaca em algum momento, conforme diz Julien Freund, como se dela se tornasse inimiga — e como, acrescento, ela efetivamente da vida se torna inimiga ao gerar as inevitáveis formas vazias, congeladas, como acontece com todos os paradigmas em todas as áreas, do freudiano ao marxista, do neoliberal ao comunista, do cubista ao surrealista, que servem para nos conduzir durante uma etapa da viagem mas não durante toda a viagem.

Não é um problema pequeno. Mas, pessimistas na análise, otimistas na ação, como manda a palavra de ordem dos que atuam na política cultural. Algo temos de mudar em nossa política cultural e creio que um bom começo está em reconhecer a negatividade da cultura, em trabalhar com a cultura sabendo que a todo momento ela nos pode jogar de volta no mesmo buraco do qual buscamos sair. Já é um bom começo saber que a cultura pela cultura não leva a nada, que a leitura de um poema de Fernando Pessoa ou de um romance de Salinger, por si e em si, jamais mudará ninguém, jamais incluirá ninguém no social, jamais mudará a qualidade de vida de nenhuma comunidade.

Sendo otimistas na ação, vamos tratar de culturalizar todas as categorias pelas quais vemos o mundo e a vida e pelas quais agimos sobre a vida e o mundo, como único modo de reduzir a distância entre as duas esferas culturais. Não será fácil. O movimento ecológico, no entanto, tem conseguido mudar, aos poucos porém de modo cada vez mais sustentado, para insistir nessa gíria, a representação que a humanidade se fazia do mundo. A imagem da Terra como fonte inesgotável de recursos (a Grande Mãe natureza) e, simultaneamente, para regozijo do esquema freudiano, como a maior lixeira do universo, aos poucos se altera. A cultura ecológica já se revela forte o suficiente para orientar a pesquisa pura e a aplicada, a investigação acadêmica e a aplicação tecnológica na indústria. Lentamente, a ecologia está cambiando todas nossas categorias de ver o mundo e de nele nos inserirmos. Não muda ainda os governos, nem à direita nem à esquerda — o que, de passagem, nos leva a imaginar com urgência cada vez maior os modos de nos livrarmos dos governos, definitivamente. Digo que muda as categorias de ver o mundo mas não digo que mude, ainda, as categorias de ver a vida. A vida humana se revela ainda, e cada vez mais, uma força negativa em relação ao mundo, uma força não mais imprescindível para tanta coisa, da produção de máquinas à produção de seres humanos. A vida humana se mostra, em suma, excedente, como se verifica na China com sua política de execução sumária de vários tipos de condenados. A vida humana vale hoje muito pouco e já nos acostumamos com isso, o que é terrível — o que é um terror. Não se conseguiu ainda pôr em prática uma ecologia da vida humana. Não deve surpreender ninguém que o bandido (o traficante, o sequestrador, o assaltante) que leva seus vasilhames de plástico para reciclar no lixo diferenciado da favela ou de seu bairro classe média e que joga corretamente na lixeira o papel do sanduíche comido é o mesmo que no instante seguinte estará assassinando alguém da maneira mais selvagem — em termos humanos, claro, uma vez que a ideia de selvagem no mundo animal não tem sentido. Não deve surpreender ninguém que as nações mais ricas que premiam a ciência, a arte e a cultura e falam em desenvolvimento humano sejam aquelas mesmas que sangram outras nações, metaforicamente, pela economia, ou literalmente, pelo sangue derramado. Talvez haja aí, na esfera da vida, espaço para uma ecologia cultural — e seria bom reparar que, como se observa com frequência cada vez maior no universo da política cultural, não temos ainda nada que se compare a um Greenpeace cultural. Não temos nem mesmo uma bandeira, uma cor para a cultura, ou um logo — o que tanto pode ser muito ruim como muito bom. Ao mesmo tempo, porém, deveríamos estar suficientemente abertos para a hipótese de que o programa ecológico tal como está pode ser aquele que se apresentará, por um bom tempo, como o horizonte insuperável da cultura, um pouco, mas apenas um pouco, à maneira como Sartre imaginou, equivocadamente, que o marxismo seria o horizonte insuperável da filosofia. Dito de outro modo, devemos estar abertos para a hipótese de que a cultura ecológica consubstancie a mais eficaz ação cultural dentre todas e se revele como o modelo mais organizado e produtivo de política cultural para a busca da melhor qualidade de vida e da inclusão social, portanto para o enfrentamento da violência. Esta é, no mínimo, uma hipótese com sólido substrato cultural. Não causará mais nenhum impacto negativo, neste momento pós-moderno, pós-iluminista, repropor que a cultura realiza de um outro modo, e numa outra esfera, aquilo que a natureza propõe ou impõe ao ser humano. A cultura entendida pela Modernidade como um

QUARTA: UMA ECOLOGIA CULTURAL

instrumento cuja função seria possibilitar ao ser humano a superação e o controle da natureza é uma noção que agora podemos, nesta pós-modernidade, com tranquilidade relativizar. A cultura prolonga a natureza, a cultura sublima a natureza, espiritualiza a natureza mas da natureza não se descola. A convocação sexual é prolongada, adensada e ao mesmo tempo refinada nos afrescos de Michelangelo ou nas telas de Botticelli e Ingres (não nas telas cubistas de Picasso, é verdade, mas essa é outra história). A verticalidade da postura humana é magnificada na catedral medieval. A ambição ou a necessidade que tem o olho de ser o sentido hegemônico do homem é satisfeita com sobras na proposta da televisão. Nesse percurso conceitual, o programa ecológico apresenta-se como o estágio no momento, senão o mais avançado, sem dúvida o mais eficaz da aventura cultural em seu objetivo de culturalizar todas as categorias de ver e viver o mundo e a vida. Portanto, o mais apto a superar a distância cultural que impede à cultura atuar concretamente sobre a vida. Conseguiu-o mais que a filosofia abstrata ou material, mais que a religião, muito mais que a ideologia. E o consegue mais do que o "cultural" tradicional. E aí está uma quarta representação da cultura no contexto da violência cotidiana.

A cultura ecológica, porém, pode vir a conseguir uma abolição tal da distância entre as culturas objetivada e a subjetiva que nenhum espaço reste para aquilo que não repita a regra ou para a emergência da negatividade que, pelo menos por enquanto, é constitutiva da estrutura cultural e sua revitalizadora O encurtamento dessa distância precisa ser feito de modo a evitar a reprodução constante da regra (responsável pela geração dessa coisa assustadora que é o pensamento único) e a propiciar o desenvolvimento da exceção. Caso contrário, caímos em algo parecido a esses estados e mentalidades teocráticos fundamentalistas que renovaram, em fevereiro de 2003, a fatwa contra Salman Rushdie, outra vez conclamando os "fiéis" a matá-lo onde quer que seja visto e à primeira vista, barbárie inominável à qual nossa cultura, quer dizer, a ocidental, moderna e *soi-disant* iluminada, covardemente se ajusta (por vezes recorrendo à capa do relativismo cultural, sob a qual se oculta) e sobre a qual não mais se manifesta, como se fosse já algo instalado na ordem das coisas (isto, se seu comodismo não se explicar na verdade pelo interesse material mais imediato, hipótese tão asquerosa quanto a anterior). A questão, porém, é que a cultura na verdade não pode favorecer o desenvolvimento da exceção, nem a cultura ecológica nem nenhuma outra cultura, uma vez que a cultura é apenas a repetição da regra. O que pode fazer isso, dentre todos os modos da cultura, é a arte e é isso que se busca na arte.

Nesse ponto abre-se a brecha por onde a política cultural poderá atuar. Mais do que aproximar a cultura subjetiva da objetivada, o que a arte oferece, no limite, é a possibilidade ideal de fazer com que a cultura objetivada se transforme num analogon estrutural da cultura subjetiva, evitando o surgimento e a permanência das formas vazias nas prateleiras dessa geladeira criônica que é a biblioteca, o museu, o arquivo... É a arte que impede a forma cultural de perder seu conteúdo, que anula a impessoalidade da forma, que rechaça a anti-individualidade da vida e do mundo, que convoca a alma subjetiva. A arte, não a cultura.

QUINTA: A EXCEÇÃO DA ARTE

A arte tem essa condição porque não faz concessões de espécie alguma — e nisso reside a origem da tão escandalosa quanto incompreendida observação de Stockhausen diante da tragédia das Torres Gêmeas. Não faz concessões ou não deveria fazê-las. A arte convoca a consciência para dedicar-se inteiramente a ela mesma, quer dizer, à obra e à consciência, e à relação entre uma e outra. E a obra de arte isso faz porque não perde o valor autônomo de sua proposição específica ao não o trocar, ao não o transformar em commodity cambiável (embora a sociedade tente fazê-lo por ela) por qualquer outra outra — científica, política, moral, religiosa, social — que sirva, como o exige a cultura, de instrumento do processo de construção positiva da sociedade. É por isso que a arte é a exceção de um processo do qual a cultura é a regra. É por isso que a arte é inútil, não serve para nada e não deve ser domesticada — no sentido de sua não-instrumentalização para um programa outro que não o seu — como hoje se quer fazer com a cultura. E essa experiência da exceção cultural — a arte é a única autêntica exceção cultural —, a arte a oferece a quem a faz e a quem a recebe. Não que a arte, pela integridade de seu processo, preencha todos os espaços vazios de conteúdo e de sensibilidade onde vem se instalar necessariamente a violência ou que aspiram a violência como o buraco negro faz com a matéria e a energia. (E me refiro à arte, não ao artista: a arte é maior que o artista, assim como a cultura objetivada é mais ampla e densa que a cultura subjetiva). Mas não há dúvida que ela estende uma malha por cima desse vazio, malha por cujos buracos alguns escaparão e passarão em seu trajeto para a violência (é um fato que a elite SS saía dos concertos e representações operísticas para fzer seu "trabalho" nos campos de concentração) mas nem todos.

Fazendo uma correção, diria que o preenchimento dos vazios entre a cultura subjetiva e a objetivada, convocadores da violência e do desespero, só poderá ser promovido não exatamente com a culturalização de todas nossas categorias de ver o mundo e a vida, o que leva aos regimes integralistas, como o demonstram os casos historicamente verificáveis, mas com a *artificação* — para não dizer estetização, termo injustamente carregado de conotações negativas — de nosso modo de conceber e agir no mundo. Não quero defender este ponto, no entanto, de modo ingênuo. Assim como a cultura objetivada é vastamente mais ampla e em larga parte inacessível à cultura subjetiva, também a arte cria para si uma esfera bem mais vasta do que a esfera na qual a subjetividade do artista se instala. A obra de arte é muito mais pessoal (ou muito menos impessoal) do que quase qualquer outra produção da vida, e mais do que qualquer outra coisa toca de perto a alma, o desejo e a sensibilidade de quem a faz e de quem a recebe. Nem por isso, contudo, o ser humano se torna, por meio da obra de arte, *permanentemente* coincidente consigo mesma, e menos ainda será coincidente consigo mesma a coletividade que circula ao redor de uma obra de arte. A arte, propôs aquele mesmo Pablo Ruyz y Picasso, deve ser convulsiva. Como tal, infensa à manipulação total, à previsibilidade. A arte, observou ele em outro momento, quando fazia *Guernica*, não é para decorar paredes — para decorar as mentes, eu diria — mas é um instrumento de guerra. Uma guerra não violenta, acrescente-se. É verdade que depois o artista aceita que sua obra vá pacifica e passivamente decorar uma parede — mas o artista, como sabemos, é bem menor que sua obra... De outro lado, hoje temos condições de saber que uma coisa é a obra de arte e outra a performance pela qual uma obra de arte se realiza, e sabemos que a coincidência do eu consigo mesmo, e da transformação da cultura objetivada em subjetiva e vice-versa, ocorre na performance que leva à obra e apenas enquanto ela se dá mas não na obra, que já não pertence a quem a fez porque se tornou cultura objetivada. Aceitar que a arte está na performance, não na obra e portanto não, por exemplo, na visita ao museu (embora possa haver uma performance da visita à obra de arte), será o desafio hoje mais radical a ser enfrentado pela política cultural, um desafio que deve ser ainda matizado pelo fato de que a arte não responde a uma necessidade mas a um desejo e que sem esse desejo, nada se cumpre. E aceitar que a arte é antes de mais nada performance é aceitar que isso a que se chama de arte é algo de essencialmente efêmero, permitindo a seu criador alcançar a coincidência consigo mesmo apenas no instante em que a faz — no paradoxo que é esse caminho em tudo imanente pelo qual se aspira à transcendência. Mesmo os que reconheceram a não identidade entre cultura objetivada e cultura subjetiva, como Simmel, acreditaram que essa distância poderia ser anulada pela operação de culturalização de todas nossas categorias

Variante: a performance

A arte como convulsão

existenciais. Isso nem a arte garante. Não nos iludamos sobre nenhuma dessas coisas. E esta seria uma representação particular, uma representação tentativa da "cultura", vista como um recipiente para o conteúdo privilegiado que é a arte, diante da violência e mesmo sem pensar na violência.

Num ponto quero insistir: a identidade perfeita entre a cultura objetivada e a cultura subjetiva *não deve ser* alcançada. Não é que não pode: *não deve ser* alcançada. Poder, pode: os estados totalitários leigos ou religiosos buscam e conseguem essa identidade, ainda que, felizmente, por algum tempo, não o tempo todo. Isso não me interessa e disso fujo com horror. Para evitá-la, a culturalização de todas as categorias de ver o mundo e inserir-se na vida deve abrir largo espaço para a arte. Cultura é a regra, a arte é a exceção, como Godard insiste em dizer em suas imagens. Arte não foi feita para promover a exclusão da violência, nem a inclusão social, como hoje se prefere afirmar num discurso simplista que ostenta tanto um desconhecimento do processo cultural mais amplo quanto uma vontade de controlar a arte e seus efeitos. Pelo menos, não a arte moderna e a arte contemporânea. Na política cultural há um jogo delicado entre a cultura e a arte. Apostar tudo na cultura é perder o jogo maior, talvez o único que interessa. Jogar todas as fichas na arte é passar ao lado da *cultura comum*, se ela pode existir e nos limites estreitos em que é desejável. O que se sabe de concreto é que todos os regimes totalitários, leigos ou religiosos, insistem na cultura e temem a arte. É uma pista...

Resta saber, apesar disso, como transformar em prática aquilo que deste edifício cultural pode ser transformado em prática, e que começa pela arte. Afinal, um mundo ocupado pela cultura e pela arte ainda é melhor que um mundo sem isso e tomado pelo lixo da publicidade, pelo divertimento rasteiro, pela ignorância e pelo fechamento geral dos espíritos. O caminho para isso é longo e estamos atrasados em relação à cultura ecológica, embora talvez possamos aproveitar de sua experiência.

> Tão atrasados que neste momento, em Austin, a Texas Conservative Coalition, uma ONG de orientação conservadora como diz seu nome, defende, em sua recente proposta de política pública ("TCCRI State Finance Task Force Report: A Roadmap to Responsible Reform") uma série de medidas para combater a crise orçamentária do estado do Texas com ações que incluem a abolição da Texas Commission on the Arts, reforma não apenas de todo irresponsável, ao contrário do que o título da proposta sugere, como também suicida. Ao contrário da

esquerda, os conservadores sempre reconhecem o poder da arte e estão dispostos a perecer com ela ou à falta dela antes de curvar-se a ela...

Uma Agenda 21 para a cultura

A primeira coisa seria organizarmo-nos (e como somos desorganizados e desmobilizados, nesta área...), organizar os que vêem na política cultural um instrumento privilegiado de governabilidade, empoderamento e qualidade de vida. O modelo da Agenda 21, formulado na conferência do Rio em 1992, pode fornecer alguma inspiração, ele que, sob o ponto de vista ambiental, vem sendo transformado em realidade em várias partes do mundo, inclusive do Brasil mais consciente, como o estado de São Paulo. A cultura ecológica soube dividir seu objeto de reflexão em partes individuadas bem claras, talvez por ser mais fácil fazê-lo em sua esfera, e atacá-las sistematicamente. Um prêmio à cultura ecológica hoje existente no Brasil, atribuído pela revista *Superinteressante* e derivado do modelo da Agenda 21 sem dizê-lo explicitamente, abriu-se em sua versão de 2003 para seis campos precisos — água, ar, solo, fauna, flora e comunidade — e vai verificar quais as melhores práticas em cada um. Poderíamos pensar em algo análogo para a cultura, identificando os campos de intervenção prioritária. Essa culturalização de todas as categorias de ver e viver a vida e o mundo, com o instrumento privilegiado que é a arte, poderia assim ser feita a partir de um modelo que escolhesse como prioritários, por exemplo, a educação (vastamente desculturalizada num país como o Brasil mas não apenas nele), a cidade, o divertimento, a representação política (hoje moribunda) e o pensamento econômico. Outros campos se poderiam acrescentar, menciono os que me parecem mais evidentes. Formar um Greenpeace Cultural global, montar uma Agenda 21 da Cultura[54] e começar a investigar as formas ainda nao definidas pelas quais o cultural pode permear esses domínios é a tarefa que pode sair deste encontro como plataforma de ação. Enorme, mas não irrealizável. A cultura ecológica o demonstra. Eu endossaria uma proposta assim se não a transformássemos numa operação rasteira de "edificação dos espíritos" ou da "consciência social" e se deixássemos aberta uma larga porta para o reconhecimento do

[54] Este texto foi apresentado em público pela primeira vez em março de 2003 no Institute of Latin American Studies, da University of Texas-Austin, no contexto de um seminário sobre a cultura e a violência coorganizado pela Associação Arte sem Fronteiras. Em 8 de março de 2004, em Barcelona, uma Agenda 21 para a Cultura acabou sendo de fato assinada, com essa exata denominação, pelo IV Fórum de Autoridades Locales para la Inclusión Social de Porto Alegre (FAL); seus signatários foram os governos locais de inúmeras municipalidades, sendo portanto, acima de tudo, uma manifestação da sociedade política. A respeito, ver mais no capítulo "Por uma cultura em tudo leiga", neste volume.

papel representado pela negatividade na cultura, para o convívio com ele e para o recurso a ele como modo de completar o desenho cultural da vida e do mundo. A expressão de Georg Simmel, ao discutir o significado do conflito na existência humana, quando falou da "tragédia da cultura", nunca teve seu bom fundamento tão visível como agora. O conflito[55] entre a vida produtora (por meio dos e nos indivíduos criativos) de formas livres e a cultura, que é a não-vida, com suas formas suprapessoais, reificadas e congeladas, não pode ser minimizado e não pode ser resolvido. A cultura preserva formas e cria outras; mas nesse processo, gera formas objetivas, isoladas da vida, e que são outras tantas etapas do percurso do sujeito em direção a si mesmo. A tragédia está em que a vida mesma só é possível graças a essas formas geladas, à não-vida, das quais o indivíduo no entanto não pode usufruir de todo assim como ninguém usufrui da luz da multidão de estrelas no firmamento. A superação desse conflito é inviável, a não ser de modo precário e localizado. Mesmo assim, com a condição de ter bem claro essa negatividade. Negá-la apenas agrava o problema.

2. A DESTRUIÇÃO DE UMA IDEIA FEITA

As torres gêmeas

Uma cultura não é apenas positividade, como se pretende nos discursos contemporâneos da política cultural e da sociologia bem-pensante, nas falas politicamente corretas. Nenhuma cultura é apenas positividade (apesar de Matthew Arnold). Ou então a ideia de positividade está equivocada. Uma negatividade da cultura está em sua arte. A arte é em larga medida a negação da cultura, como exceção à cultura e mais que exceção. Mas, não apenas isso: há na arte, portanto de algum modo na cultura, uma dimensão de negatividade que é constitucional a ela mesma e portanto à cultura. Dizer com Walter Benjamin que todo documento de cultura é também um documento de barbárie, significando que toda cultura se fez de algum modo sobre um crime, é dizer pouco apesar da enormidade do dito. E dizer que toda cultura é um crime será dizer muito. Essa barbárie de que Benjamin falava se define como um ato contra *o outro*. Mas, a negatividade inerente à cultura não é apenas contra o outro, seja quem for: o proletário, como no universo de Benjamin, ou o negro, a mulher. A negatividade presente na cultura é negatividade da cultura como um todo e a rigor está em toda ela e opõe-se a tudo. Não há como contestar a presença da negatividade na cultura, o que significa: no ser humano.

Não é o caso de concordar com Todorov quando diz que toda possibilidade de atuar contra a negatividade (ele usa outra palavra, e num sentido mais banal: o mal) já é manifestação dessa negatividade (ele diz: o mal): mais pertinente admitir que essa possibilidade é o indício da negatividade, não ela mesma. Talvez seja isso o que ele pensou. É o caso de reconhecer a negatividade na cultura, em toda ela (portanto, em todas suas manifestações, ou na essência delas) e não insistir na ideia da cultura perfeita que pode gerar a sociedade perfeita (ou, bem pior, a ideia da sociedade perfeita a alcançar pela religião, pela ideologia, pelo partido, pelo Estado, ou pelo mercado), insistência dos totalitarismos todos, inclusive os utopistas. É o óbvio, mas o óbvio a cada tanto tem de ser destacado: a negatividade da cultura é uma negatividade em si e para si. Por que insistir nisso? Porque Stockhausen foi alvo de todos os opróbios e injúrias e colocado no ostracismo quando disse que a destruição das Twin Towers, o World Trade Center, de Nova York, em setembro de 2001 era a maior obra de arte de todos os tempos e que as pessoas que a haviam levado a cabo nunca poderiam ser igualadas pelos artistas. "A maior obra de arte jamais realizada", ele disse. E continuou: "Daqui em diante, teremos de mudar totalmente nossa maneira de ver." E que pessoas se preparem fanaticamente para um concerto durante 10 anos, como lunáticos, e em seguida morram, é algo que ele, o artista Stockhausen, jamais conseguiria fazer, disse ele. E ainda: "Diante disso, nós, os músicos, não somos nada". Sua filha disse que a partir daí não o reconhecia como pai e que Stockhausen havia sido sempre um egótico, vivendo apenas pela música e para a música. (Como Beethoven.) Seus concertos foram cancelados. Decidiram não entendê-lo. Ou por ignorância não o fizeram. Os bem-pensantes todos que grotescamente o rechaçaram não sabem, nunca souberam, o que é arte, o que a arte representa. Sempre ficaram nos efeitos de superfície da arte — a forma, o conteúdo (nunca chegaram à matéria da arte) —, e naqueles efeitos de superfície da arte ainda mais exteriores: a noite de gala na ópera, o "vinho de honra" nas vernissages, o discurso certo na noite de benemerência ou de protesto político ou de aceitação de um cargo no governo, a palestra correta no congresso da categoria, a casa comprada com os direitos autorais da música composta. Ou rechaçaram esse conhecimento, o que é o mesmo dito de outro modo, porque estão vivendo sob o impacto de um momento histórico, independente da e mesmo anterior à queda das torres, em que da cultura só se aponta, por conveniência ou credulidade, sua positividade (ou o que creem ser positividade da cultura). Stockhausen não foi o único a usar as palavras da arte para se referir ao terror de setembro — para referir-se ao mal, nas palavras corroídas da mídia e de alguma política (mas, notar: a negatividade é o mal sem esse sentido moral, é o mal no sentido físico, tudo aquilo que aumenta a entropia; o mal no sentido filosófico, o nada, o oposto do ser; aquilo que não pode ser, não pode existir em cena: o obsceno: o que só pode ocorrer fora de cena, longe dos olhos). Talvez sem saber o que ele disse — e *talvez* porque não se sabe se teríamos pensado nisso se Stockhausen não o tivesse dito de modo tão radical — outros usaram as palavras da arte para falar do atentado. *The New Yorker,* semana seguinte à do terror: John Updike escreve que a explosão do avião e a implosão das torres foram como "instantes muito ensaiados de um balé de pesadelo". Nesse mesmo número, o escritor norte-americano Jonathan Frenzen diz que era admissível sentir, diante do ato, "admiração por um ataque tão brilhantemente concebido e tão perfeitamente executado" — admiração que certamente se insinuou em sua sensibilidade, assustando-o. "Pior ainda", continuou Frenzen, era inadmissível sentir uma "admirada apreciação pelo espetáculo visual produzido" — que igualmente derrapou para dentro de sua sensibilidade, claro, porque ele a sentiu, essa admirada apreciação. Escreve ainda que "em algum lugar os *artistas da morte* que planejaram o ataque se deleitaram com a *terrível beleza* que foi o colapso das torres" [ênfase minha]. Esses mesmos terroristas aparecem mais uma vez em seu texto como "os satisfeitos artistas" que se escondiam no arruinado Afeganistão. E o poeta e ensaísta alemão Hans Magnus Enzensberger escreveu no *Le Monde,* na mesma ocasião, que, inspirando-se na lógica simbólica corrente no Ocidente, os terroristas haviam "encenado o massacre como um grande espetáculo mediático". A comparação entre a tragédia real e cenas de filmes foi lugar-comum nos jornais e TVs dos dias seguintes, desnecessário recordá-las. Incomum é a referência à *encenação* de um grande espetáculo feito a partir da *inspiração* numa certa *lógica simbólica*, isto é, no caso, numa certa *lógica estética*. As ideias de *arte* e *artista* estão aqui outra vez implícitas. Então, Stockhausen não foi o único a dizê-lo mas o disse mais forte e indo mais longe, e recebeu, ele, toda a crítica: contra os outros ninguém se levantou. O que Stockhausen deixou claro: a arte pode ser perigosa. A arte ***é*** uma coisa perigosa. A arte busca o máximo de vida — arte não vai matar, a arte não procura matar (salvo quando a arte vira vida, caso em que pode matar: o suicídio de Mishima): isso não impede que o máximo de vida, na vida como na arte, seja o oposto da vida, o oposto da arte — mas o oposto da arte ainda é a arte. Há toda uma arte da destruição e uma arte da morte, que os eufemismos designam por termos como "funerária", "necrológica", e

A ARTE É PERIGOSA

que é no entanto aquilo que é: uma arte da morte. A arte da morte em momentos excepcionais emerge em eventos de todo fora do usual: Stockhausen a viu. As palavras que usou podem ter sido excessivas, para ouvidos endurecidos (os nossos todos) e o momento, inadequado. Como "arte da morte" pode ser demais, quem sabe se poderia recorrer ao eufemismo complicado "estética negativa". Há palavras mais ocamente mediáticas: estética da destruição, estética do mórbido. A arte contemporânea abre amplo espaço para vários desses casos, casos de uma arte perturbadora e tão perturbadora que é como negativa: os carros acidentados nas serigrafias de Warhol; as instalações ameaçadoras de Beuys cheias de detrito e entulho, restos de uma destruição e ameaçadores eles mesmos (*Último espaço com introspector*, 1982).E uma ocorrência da arte em especial que, vista em retrospectiva, surge como sinistramente premonitória: a escultura de Tinguely *Homenagem a New York* que em 1960 foi preparada pelo artista para se autodestruir ao final de uma performance e que assim o fez no jardim de esculturas do MOMA: entrando em funcionamento e desenvolvendo-se em sua ação, a escultura corria rumo a sua própria fenomenal, desastrosa aniquilação. E tantas outras. Não é preciso apoiar Stockhausen mas é necessário compreender o universo a que alude. Lançar o opróbio, nesse caso, é desprezível. Entre dizer o que disseram e não saber o que dizer, melhor recordar Karl Kraus: nesses momentos, "quem tiver algo a dizer, que se levante e se cale". Isso, em relação à primeira parte do comentário de Stockhausen: a destruição como obra de arte (a arte como destruição, a arte *também* como destruição, a arte que para existir destrói alguma coisa, como em *A obra-prima ignorada*, de Balzac). E agora a segunda parte, a das pessoas que executam uma ação e nela se aniquilam, a questão do comprometimento dos artistas, dos músicos. O desejo de que músicos, outros artistas, sejam capazes de viver a arte *ao ponto da morte* é dos mais radicais e (e *no entanto*, e *por isso*) dos mais enraizados na história da arte. A arte *como compromisso vital*, não apenas como emblema *de uma outra coisa,* é a própria vida. Arte e vida, aqui, são uma só coisa só. E embora pareça diferente e embora se faça diferente, à vida radical só é possível votar uma dedicação absoluta que, no limite, cobra a vida de quem assim procede. De vidas menos radicais se vai, se desliza quietamente — a vida se esvai dessas outras vidas. O preço *daquela* vida *empenhada* é a morte, rasteiro truísmo, como todos, que porém deve ser reafirmado nestes instantes em que a cultura *ainda* não conseguiu abolir a morte. A arte absoluta pede a vida absoluta, e a vida absoluta se inclina para o dispêndio, para o gasto, para a consumação da vida: a morte. Não se pode poupar a vida. Pode-se poupar a vida, é verdade: ao preço de uma vida medíocre, pequena, tímida, covarde. Na primeira metade do século passado se diria: ao preço de uma vida burguesa. A vida em tom pastel. A arte sobre todas as coisas, inclusive sobre a vida, é outra proposta. "Viver não é necessário; o que é necessário é criar": Fernando Pessoa. "Não conto gozar a vida; nem em gozá-la penso. Só quero torná-la grande, ainda que para isso tenha de ser o meu corpo e a minha alma a lenha desse fogo.": Fernando Pessoa, ainda. Músicos que se dediquem à arte até a extinção da vida como o único modo de escapar à morte: é o mínimo que a música pede; a vida é o mínimo que a arte pede. Isso não formula um apelo ao sacrifício, nem ao assassinato: é a admissão da negatividade inerente à cultura, o exercício da liberdade absoluta, o exercício da real liberdade, da única liberdade real: reconhecimento da aspiração-limite da arte. Contestar essa evidência que se tornou inevidente, soterrada como está por camadas e camadas de cultura, significa a predominância de um idealismo pedestre naqueles que o fazem, e não por ignorância; em outros, é um tanto de hipocrisia; em quase todos, de timidez, de medo. Reveja-se *O império dos sentidos* (*Ai no corida*), de Nagiza Oshima: o gozo radical é a antevisão da aniquilação, a experiência possível da aniquilação, pelo menos o simulacro da anulação irreversível do ser: o êxtase é isso: ex-stase, estar fora, sair de si; o êxtase máximo constitui-se em de fato *sair mesmo de si*: quando os amantes simulam realisticamente a morte, se aproximam da morte correndo o risco de soçobrar nela, como um deles soçobra, o prazer alcança o auge absoluto. O prazer absoluto. Insuperável. Pornografia, não. Obscenidade, talvez: aquilo que a hipocrisia não permite *pôr em cena* mas que é a única coisa para a qual a cena existe, como no *Castelo* de Kafka: a cena só existe para acolher aquilo que normalmente fica fora da vista, se não o acolher essa cena não tem nenhum sentido, assim como a porta do castelo sempre esteve aberta para aquele que ficou à espera de que a porta se lhe abrisse. Obscenidade: aquilo que por apego à vida temos medo de jogar em cena *mas que está lá*. Tara, não; patologia, não: imaginário humano. O imaginário não é feito de imagens arbitrárias, mas de imagens necessárias, inevitáveis. Pode-se disfarçá-las: é o que a cultura faz. Em alguns países não se pode dizê-lo em certas circunstâncias. Em outros, não se pode dizê-lo quase nunca, como provavelmente no país daquelas torres e no espaço cultural de onde saíram aqueles que as derrubaram. Muitas pessoas não podem admiti-lo, outras não têm o direito de ignorá-lo: as que condenaram Stockhausen, por exemplo. Abaixo desse patamar de exigência declarado por Stockhausen não está a arte: está o *divertissement*. Para

OBSCENO

atenuar: a arte é também uma assíntota em direção ao eixo da extinção sem nunca nela tocar mas dela sempre se aproximando mais. (Pelo menos enquanto arte. Por vezes, artistas procuram fazer a arte virar vida. Alguns de fato o tentam e buscam.) Nada de sacrifício, nem de homicídio nisso: é o oposto: o êxtase último. Com um sinal diferente daquele de Oshima, esse *êxtase verdadeiramente final* aparece igualmente na hagiografia de São Francisco: quase perdendo a consciência, um dia, ao ouvir um anjo tocar uma viola, diz aos irmãos: "Se o anjo tivesse tocado mais uma única nota, diante dessa insuportável delícia minha alma teria abandonado meu corpo." Cada um experimenta esse êxtase como prefere ou pode. De todo modo, ali está ele, multifacetado: o êxtase último. Abaixo desse limiar está a cultura como ela veio usada no século 20 pelas ideologias todas, direita e esquerda, e como tende a continuar a ser usada no século 21. Stockhausen, por tática — por interesse — não deveria tê-lo dito, talvez. Seu *timing* (mas, a ideia do metrônomo lhe é tão impensável, de fato), seu senso de oportunidade talvez não tenha sido o melhor *para ele mesmo*. Os outros, esses, os que o condenaram, perderam uma oportunidade singular de guardar para si o que de tolo pensavam: deveriam ter-se erguido para falar e se calado, evidenciando seu silêncio. Que Stockhausen o tenha dito, foi uma lembrança inesperada e oportuna de uma das razões da arte num momento de generalizada alienação diante da função da arte enredada na política, num século de infindáveis instrumentalizações da cultura — em outras palavras, num século de consumo da cultura, não de *uso* da cultura. O fato de ter-se instrumentalizado insistentemente a cultura para fins ditos nobres não anula o esquematismo no qual se engessou a cultura e a arte. A cultura contém seu negativo. Como a arte. Numa época de violência exacerbada, multiplicada, invasiva, a cultura surge, parece surgir, como o único e o último recurso diante não apenas da falência da ideologia e da religião na luta contra a negatividade (na verdade, nunca poderiam ter combatido esse combate) como também diante da promoção da negatividade (que nesse caso é apenas o mal banal) feita pela ideologia e a religião. A negatividade, em modos diferentes, está então tanto na ideologia e na religião como na cultura. A diferença é que a cultura promove a *coincidentia oppositorum* na direção do *político* (não da *política*) — a cultura aproxima — enquanto a religião e a ideologia isolam e afastam, não tanto o mal do bem mas a incontornável negatividade da positividade e assim exercem a desvinculação dos contrários. O antropólogo dirá: mas, ideologia e religião são cultura, estão dentro da cultura. Resposta imediata: uma cultura é apenas o que se distingue da barbárie. Contra o sobrenatural não há argumento, lembrou Gombrich, portanto com o sobrenatural (a religião) não há conversa — e com isso, o sobrenatural se coloca fora da cultura. E a ideologia é a política da mão oculta: estendo esta mão, com a qual faço isto, enquanto mantenho oculta a outra mão, que desfará o que a primeira diz fazer e que já faz o contrário do que a primeira indica fazer — e no entanto uma conversa se faz sempre com as duas mãos visíveis. (O obsceno nunca esconde uma de suas mãos: as duas estão sempre à vista, bem à vista). A ideologia e a religião reconhecem o mal e o promovem, o afirmam para poderem dizer que o combatem; a cultura, pelo menos a cultura viva, reconhece a negatividade e o incorpora no seu contrário. Isto significa que a cultura não é apenas positividade e não permite que se diga que a arte é estranha à negatividade. Apenas, a negatividade na arte não é objetivável e objetificável do modo como comumente se pensa.

Intensidade

Abaixo daquele patamar de exigência, não está a arte: está o *divertissement*, ficou dito. Outra maneira: abaixo daquele patamar de exigência formulado por Stockhausen está a diferença, no músico, no artista, como enuncia Daniel Barenboin, entre a *arte como modo de vida* e a *arte como meio de vida*. Quando a *Eroica* foi executada pela primeira vez não havia músico profissional de orquestra. Hoje, há. E isso faz parte do sistema social, quer dizer, da cultura. É justo que os músicos tenham emprego de tempo integral, o ano todo, e ganhem por isso. E bem. E se espera que retribuam tocando bem. Isso não basta, no entanto. E isso não deve influir sobre a *ética própria da música*. Música não se executa apenas com o cérebro. Música se executa com o corpo todo envolvendo-se no processo, como quer Barenboin. E é isso que faz para ele a diferença entre a música, a arte como modo de vida (a música entranhada no corpo, a única opção possível cultura subjetiva) e a música, a arte como meio de vida: a arte como maneira de ganhar o pão de cada dia (cultura objetiva). Ambos modos deveriam fundir-se num só. Mas, o primeiro é a meta — que Stockhausen percebeu *ali*, naquele ato inadmissível que destrói as Torres, e não em muitas outras instâncias.

"CULTURA É A REGRA; ARTE, A EXCEÇÃO"

"Cultura é a regra; arte, a exceção, diz um personagem de Godard[56]. A arte tem sido vista e tem visto a si mesma como um exercício de violação das regras desde o último quarto do século 19 e quis ser isso pelo menos desde a Renascença. Não há motivo para recusar-lhe essa representação. Não basta, porém, reconhecer que a arte se tornou um exercício de violação das regras da arte: há normas de outro campo que ela viola. A ideia tradicional — e, pode-se dizer hoje, uma ideia mais *politicamente correta* do que outra coisa — de que arte também é cultura, sendo de bom senso, antes confunde o quadro do que esclarece as coisas. Indo um pouco mais longe do que se disse no capítulo inicial deste livro, essa não é uma ideia que sequer permite entender o mundo, menos ainda atuar sobre ele. A arte é vizinha da cultura mas as aproximações entre uma e outra acabam na zona movediça que de algum modo delimita os territórios de uma e outra. As diferenças entre cultura e arte são hoje mais significativas que suas semelhanças — e agora é possível dizê-lo porque o *espírito do tempo*, que não existe mas está sempre aí, permite e convoca a busca das diferenças muito mais que a das proximidades e das fusões, essa operação típica da modernidade em todas suas dimensões, da política à filosófica, geradora de tantos equívocos e angústias. Mas, localizar as diferenças quando se está acostumado e acomodado na ideia de que a tônica é sempre dada pelas identidades, pelas igualdades, pela condição de tudo ser igual a tudo, é tarefa árdua. A noção mesma de uma inequação entre cultura e arte parece um paradoxo. É adequado que assim seja: o paradoxo é próprio da contemporaneidade. Então, em quê, exatamente, a arte se distingue da cultura, contraria o desenho cultural?

[56] Lévi-Strauss, em *Les structures élémentaires de la parenté* (Paris:PUF) escreve: "Partout où la règle se manifeste, nous savons avec certitude être à l'étage de la culture".

Monta-se, abaixo, um quadro inicial[57] das distinções entre cultura e arte, com base em *indicadores* cuja pertinência para o objetivo em vista, parece-me, será desde logo evidente: *quem faz* arte e cultura (o sujeito), *a quem se destina*, o *modo sintático de organização do discurso* de uma e outra, a *finalidade* buscada, a *estruturação em relação ao tempo*, a *organização do sentido*, a *socialidade* de uma e outra, o *mito* veiculado por uma e outra, a *ética* de cada uma... Primeiro virá o quadro possível, mais secamente enunciado e, em seguida, os comentários e justificativas. No quadro, **P** significará o *modo do programa* (sua natureza, seu alcance, sua finalidade etc.; por exemplo, se é um programa social ou poético ou tecnocientífico, reprodutivo ou experimental etc.) que desde logo possivelmente corresponde a cada modo da cultura e da

[57] Um dos pontos de partida para esta investigação foi o registro de Nietzsche segundo o qual já em seu tempo discutia-se a arte (pelos historiadores, críticos, filósofos, todos enfim) mais por seus aspectos e efeitos exteriores do que por aquilo que a caracteriza em si e por si mesma, internamente. Assim, a tentação de qualificar esta reflexão de um esboço de genealogia da cultura, senão da arte — ou, melhor, de genealogia da cultura em relação à genealogia da arte — foi grande e a ela não renunciei de todo. Alguns aspectos que aqui aparecem continuam a pertencer à esfera da exterioridade, senão da cultura — ela mesma inteiramente voltada para fora — pelo menos da arte: é o caso das categorias do Destinatário e da Socialidade, por exemplo. Nem por isso aquela designação seria inadequada, se o marco de comparação for a genealogia da moral — e isto porque também na investigação da genealogia da moral Nietzsche chegou a ou partiu de questões que não dizem respeito estritamente à origem da moral mas, entre outras coisas, ao modo pela qual ela é usada, por dizê-lo assim. A ampla maioria das categorias abaixo examinadas remetem, com efeito, a essa esfera da interioridade da arte e sob esse ângulo a ideia de uma genealogia poderia afirmar-se — sobretudo porque considero que na origem da cultura está a necessidade enquanto na origem da arte, o desejo. De todo modo, o fato de algo como uma genealogia ser aqui buscado deriva da ampla insatisfação dos resultados fornecidos pela antropologia, pela sociologia, pela psicologia e mesmo pela filosofia tradicionais da cultura e da arte. O paradigma constituído por essas quatro disciplinas imbricadas pareceu evidente e satisfatório nestes últimos 130 anos, para tomar como marco a publicação em 1871 de Primitive Culture, de Edward Burnett Tylor, livro em que surge a primeira definição do conceito etnológico de cultura. Tal paradigma não é mais nem uma coisa, nem outra. O termo genealogia pode não ser o mais adequado. Mas o será ainda menos outros que, sem serem examinados, foram perfunctoriamente sugeridos em seu lugar, como o "antropologia especulativa" proposto por Arthur Danto. Há aqui, no exercício praticado neste texto, bem menos especulação do que é lícito supor. Pelo contrário: se há um traço visível nesta investigação é o do mais forte pragmatismo. A semiótica, ainda não de todo integrada a um novo eventual paradigma (por ser quase sempre usada como um instrumento ou brinquedo fechado em si mesmo, por isso estéril), certamente tem a ver com este procedimento mas não responde por todo ele. A reflexividade de que falam Anthony Giddens e Ulrich Beck — embora cada um a entenda de modo próprio quando tratam da "modernidade reflexiva" em sua suposta condição de expressão mais adequada, ao ver de ambos, para rotular esta fase que vem sendo chamada de pós-modernidade, é aqui sem dúvida um marco de referência. Mas reflexividade, no sentido de investigação interior, é exatamente aquilo que estava na base da genealogia de Nietzsche... O rótulo, afinal, pouco importará; basta que indique a inadequação das formulações saídas dos rótulos anteriores...

arte. Como este quadro foi pensado de início para o estudo e a atuação no campo da Política Cultural, onde é vital saber se o que está em jogo é uma obra de cultura ou uma obra de arte (sobretudo porque o que se busca não é apenas entender o mundo mas mudá-lo), em princípio **P** indicará um modo de formulação, manifestação e operação de **Política Cultural.** Mas, não precisa fazê-lo de maneira exclusiva: pode significar um sistema de operações numa sala de aula (um programa de educação), numa situação de formação e orientação de um grupo de canto coral ou de qualquer outra atividade de grupo *em situação de estimulação da criatividade*. No mesmo quadro, **D** indica o **Discurso da** cultura ou da arte (de um modo de cultura determinado, de uma arte determinada, de uma obra de cultura, de uma obra de arte) e **d**, o **discurso *sobre a*** cultura ou *sobre a arte* correspondente; está claro que o discurso *sobre* um modo da cultura ou da arte frequentemente influi de modo decisivo na substância (a estrutura, a organização, a atuação) de uma manifestação da cultura ou da arte ou em seu entendimento, razão pela qual em um ou outro momento se fará referência também a esse **discurso**[58].

Em um estudo sobre Michelangelo, Georg Simmel[59] reconhece, mais do que adverte, que "En la base de nuestro ser espiritual habita, a lo que parece, un dualismo que nos impide comprender el mundo, cuya imagen se proyecta en nuestra alma, como una unidad, descomponiéndolo sin cesar en pares antagónicos." A ideia de antagonismo em Simmel é bem menos negativa do que à primeira vista parece e do que na vem defendido pela quase totalidade dos autores de extração iluminista. Menos negativa ou nada negativa. De fato, em Simmel é do antagonismo que surge aquilo que realmente interessa. O antagonismo, o conflito, não é para ser eliminado mas para ser aproveitado heuristicamente. É nesse sentido que o quadro mencionado será organizado em termos de uma polaridade inicial que, não estando como tal, em seu aspecto literal, em condições de dar conta da real complexidade dos fatos, permite em todo caso o desenvolvimento da investigação tentativa. Ao final se fará uma necessária e inevitável relativização do métod

[58] Por vezes o discurso *da* obra de cultura ou de arte (D, o discurso cultural ou artístico propriamente dito) confunde-se com o discurso *sobre* a obra de cultura ou arte). Melhor: o inverso. Na pós-modernidade, o discurso sobre a cultura ou arte pode assumir a forma de um discurso da arte, um discurso artístico (o que significa que pode ser um discurso de tipo divergente). E um discurso sobre a arte pode contrariar a natureza de seu objeto e apresentar-se como um discurso convergente quando deveria ser tão divergente quanto a arte de que fala.

[59] In *Sobre la aventura: ensayos de estética* (Barcelona: Ed. Península, 2001).

	CULTURA	*P*	ARTE	*P*
SUJEITO	nós>eu superego>ego>id[61]	*sociocultural*[60]	eu>nós ego, id, superego	*estético*
DESTINATÁRIO	comunidade/ sociedade>indivíduo as instituições	*sociocultural* *coletivo* *assistência social*	indivíduo> comunidade as pessoas	*individual* *estético*
GERATRIZ	necessidade	*direitos culturais* *política provedora*	desejo liberdade	*discricionário* *cooperativo*
FINS	utilitária	*educativa* *profissionalizante* *(ética. lógica)*	transcendente (gratuita)	*gosto* *(estética)*
MODO SEMIÓTICO	comunicação (informação)	*discursivo* *tradutivo*	expressão	*ativo* *expressivo* *diretivo*
SOCIALIDADE	reconforto (tranquilizar); estabilidade, integração (localizar-se) cuidar do outro (virtudes gregárias)	*identitário* *assistência social*	risco, inseguridade instabilidade indiferença pelo outro (*virtus*)	*informal* *aberto* *plural*
MODO IDEATIVO	descoberta (alegada)	*programático*	invenção	*pragmático*
MITO	verdade revelada	*afirmativo*	proposta reveladora	*propositivo*
RETÓRICA	dialética e síntese totalizante	*tecno-científico*	justaposição; a totalidade, a síntese são quimera	*poético*
MODO DISCURSIVO	narrativa	*totalizante*	fragmento (ato unitário)	*mosaico*
MODO DE ELABORAÇÃO DO DISCURSO (D, d)	construção	*reprodutivo*	destruição criativa desconstrução desaprendizado	experimental
FOCO DO DISCURSO (D, d)	convergente	*centralizado*	divergente	*dispersivo*
MATÉRIA (D, d)	normas, hábito regras (arquivo, discurso)	*codificado* *regulamentar*	desregulação valores autônomos (texto); a crítica	*casuístico* *anárquico*

[60] Esta expressão é retirada tal qual do uso corrente que a consagra; sua menção, aqui, não significa um endosso de seu fundamento. É uma expressão utilizada comumente quando se pretende destacar que se recorre à cultura buscando fins sociais, i.e., buscando reforçar a sociabilidade, divulgar valores socialmente positivos ou utilitários, e não por aquilo que a obra é ou transmite em si mesma.

[61] O símbolo > indica que o termo que o antecede é mais decisivo mais frequente ou mais determinante que aquele que o sucede.

SEMIÓTICA DE ACESSO	simbólica	*abstrato racionalidade convencional*	icônica indicial	*concreto abdução pragmática*
PRINCÍPIO IDENTITÁRIO (Efeito do discurso) (D, d)	identidade (a identidade do/pelo mesmo, pela repetição) via afirmativa	*metafórico*	diferença (a identidade pelo contraste, pelo inédito) via negativa	*metonímico*
TEMPORALIDADE (Duração)	duradoura (caso radical: folclore)	*épico*	efêmera (caso radical: performance)	*trágico*
TEMPORALIDADE (Função no tempo)	continuidade	*épico*	interrupção	*trágico*
ESPAÇO	territorial	*local nacional*	extra-, supraterritorial	*atomizado internacional*
ÉTICA	transcendente universalista (dentro do particular); particularista ética visando o outro; moral	*sociológico*	imanente singularista; ética interior, de procedimientos	*estético*
COMPONENTE SEMIÓTICO DOMINANTE	símbolo; alegadamente, o referente (a coisa, o mundo)	*simbólico*	significante (a vida)	*indicial icônica*
PROCESSO	reiterativa reprodutiva	*acumulativo patrimonial*	intermitente interrumptiva	*dispersivo*
DESENHO	geométrico, binário	*absolutisto*	informal, modal	*relativista*
PRINCÍPIO ORGANIZATIVO DO DISCURSO (D, d)	oposicional	*intervenção coordenação*	posicional	*cooperação*
RITUAL	formalista	*piramidal*	informal	*horizontal*
MODO DE COMPREENSÃO	interpretação (treinamento)	*explicativo*	hermenêutica (experiência) (a con-fusão; o individual como o não-discreto)	*investigativo*

Assim,

	CULTURA	***P***	**ARTE**	***P***
SUJEITO	nós>eu superego>ego>id	*sociocultural*	eu>nós ego, id, superego	*estético*

A obra de cultura é uma obra coletiva; no processo, o *nós* é mais determinante que o *eu*: não quer dizer que nela a participação do indivíduo como indivíduo seja inexistente ou desimportante, mas a obra de cultura não resulta dele, não cabe ao indivíduo e não cabe no indivíduo: não depende do indivíduo a realização de uma obra de cultura. Inversamente, a obra de arte é determinada em *última instância* por um indivíduo; o conjunto final de uma obra de arte (um certo filme — não todo filme mas algum filme) pode trazer a marca de vários indivíduos ou, bem mais raro, de um coletivo (a soma de várias marcas individuais não resulta em marca coletiva — não aqui) mas, na obra de arte, o determinante é um indivíduo: correntes do pensamento sociológico de inspiração marxista, com curso até os anos 60 do século 20, preferiram falar em *obras coletivas de arte* ou em alguma arte que derivaria de uma ação e uma autoria coletivas visando com isso diminuir a importância do sujeito individual criador e em contrapartida ampliar a do sujeito coletivo (no limite, a de uma classe social), como seria o caso do cinema e teatro. Interpretação falaciosa: um filme de Fellini é o que é por ser de Fellini: quando na abertura do filme vem dito que se trata do *Casanova* de Fellini, é exatamente disso que se trata: uma visão que o indivíduo Fellini, a pessoa Fellini, tem desse tema, independente dos demais colaboradores que perfazem o total da obra e que, sem Fellini, sequer a teriam iniciado (contrariamente, quando um filme norte-americano traz, na abertura, uma fórmula análoga, dificilmente ela está sendo usada de modo correto: as condições de produção no sistema cinematográfico norte-americano são tais (interferência do produtor na escolha do tema e na montagem, interferência do público-teste na edição final da película etc.) que a ideia da personalidade autoral é a exceção (caso de Woody Allen), não a regra. Idem no teatro.

Ainda procurando determinar onde reside o princípio criador da obra: não será o caso de dizer que na obra de cultura a presença de elementos provenientes do que se pode chamar ainda agora de superego seja mais forte ou mais numerosa que a daqueles resultantes do ego; mas certamente a presença do superego e do ego é aqui mais incisiva que a do id, esfera das pulsões, motivações inconscientes. Na obra de arte, inversamente, o ego e o id sobrepõem-se ao superego ou têm condições de serem tão determinantes quanto o superego. Em arte, no século 20, o superego se manifestará mais na escolha da forma, do meio, que no conteúdo: assim, a pintura se submete ao superego quando ainda aceita propor-se em telas esticadas sobre um chassi de madeira, tal como *consagrado*: o superego do gênero, o gênero como superego.

Nesse quadro, um programa de apoio à produção ou distribuição da cultura ou um programa de transmissão da cultura — em suma, uma política cultural — para uma obra de cultura será forçosamente de natureza, como se diz, sociocultural, isto é, atenderá tanto (por vezes) à especificidade do *cultural* em jogo quanto do *coletivo,* da *comunidade,* da sociedade envolvida: não raro, atenderá mais ao coletivo do que ao propriamente *cultural.* (Conforme se desdobrem os comentários às diversas categorias deste quadro, os elementos e a qualidade dessa política cultural ou desse *programa* se tornarão mais claros). Correspondentemente, um programa para uma obra de arte, para a arte, visará especifica e primordialmente as questões próprias do *artístico,* do estético e do *sujeito individual*, da pessoa, da personalidade que a organiza e nela se projeta e daquela que à obra se expõe, como observador. Seria de todo impróprio falar-se num programa de natureza *socioartístico,* como de fato não se fala: o inconsciente aplicável ao caso parece dar-se conta, corretamente, de que *social* só pode ser a *cultura*, o social só pode ser para a cultura. Dito de outro modo: na pós-modernidade, e foi preciso esperar muito para chegar-se a isso, desde o discurso hegemônico em contrário ao tempo da modernidade, ficaram claras a possibilidade e a propriedade de dizer que a obra de arte se dirige antes de mais nada ao indivíduo: a comunidade, como um todo (e como uma abstração) já tem um estoque abundante de obras de cultura que lhe são dirigidas. Consequência: um programa para a obra de arte não pode estruturar-se do mesmo modo que um programa para uma obra de cultura. (Organizar uma política cultural para a arte é, desde o início e no limite, buscar um modo de contrariar a especificidade da arte; a política cultural é para a cultura; para a arte seria o caso de falar-se numa *política para a arte*, simplesmente, já que soa inadequada a expressão *política artística*.)

DESTINATÁRIO	comunidade/ sociedade>indivíduo as instituições	*sociocultural* *coletivo* *assistência social*	indivíduo> comunidade as pessoas	*individual* *estético*

Uma obra de cultura não se destina a um indivíduo isolado: não tem sentido para um indivíduo isolado, não acontece para um indivíduo isolado: o carnaval. Dirige-se a uma comunidade: eventualmente, não a uma comunidade universal, não ao universal mas ao particular: o carnaval que, como praticado no Rio ou na Bahia, não tem lugar em Boston ou em Madrid. Tendo por destinatário uma comunidade, a obra de cultura (o *cultural*) dirige-se a uma sociedade, à qual reforça em seus mitos: o cultural tem por meta as instituições: por mais "imoral" que se mostre, como no carnaval, reforça as instituições — as da cultura mas também as mais amplas, as ditas sociais. A obra de arte dirige-se ao indivíduo antes que à comunidade: não necessariamente visa alguém em particular, mas se visa alguém é às pessoas, à pessoa, não às instituições (não mais às instituições, em todo caso — o que significa que obras de arte de outros momentos históricos devem ser analisadas de modo distinto, de um modo de alguma maneira diverso). (Mesmo quando, em certos momentos históricos, foi feita para atender às instituições, como no caso da arte italiana do século XVI, a obra de arte contém um grau de personalidade individual que necessariamente, ou quase, viola o programa das instituições ou com ele colide ou a ele contesta).

Deste ângulo, o programa para o cultural correspondente será outra vez de caráter sociocultural, visará o coletivo e no fundo pode dizer-se como sendo tipicamente, por mais que isso possa espantar, de *assistência social* (está aí, de fato, a habitual justificativa política, administrativa, para seu subsídio, como no caso dos incentivos fiscais para a cultura tais como definidos e praticados no Brasil). De seu lado, um programa para a obra de arte levará em conta o indivíduo, as pessoas a que se destina *individualmente* consideradas: suas preocupações, suas proposições serão essencialmente estéticas.

GERATRIZ	necessidade	*direitos culturais* *política provedora*	desejo liberdade	*discricionário* *cooperativo*

Nos anos 60 um livro de leitura generalizada, ou obrigatória, era *A necessidade da arte* do autor de inspiração marxista Ernst Fischer. A ninguém, então, ocorreria imaginar que necessária era a cultura mas não a arte. Esse era o paradigma. A ideia de que a vida é possível sem arte, embora não sem cultura, costuma chocar os novos tempos esclarecidos. Toda a argumentação em favor de *mais arte,* feita junto a quem pode pagar por ela, governos e iniciativa privada, baseia-se na ideia de que a arte é necessária, vital, e que sem ela, no discurso *culturalmente correto* de hoje, não é possível perseguir o chamado "desenvolvimento sustentado" nem ao menos viver em uma comunidade que se pretenda de algum modo civilizada: a argumentação talvez tenha de ser essa, taticamente, mas não é preciso que seja tomada, por quem a esgrime, ao pé da letra: é possível viver sem arte. Imaginou-se, um tempo (e talvez ainda se imagine), que nas sociedades primitivas o conceito de arte não existia, pelo menos sob a forma de *produção autoral*, de *obra que traz a marca distintiva de uma personalidade*, de *coisa diferenciada e que busca diferenciar-se*. Noção já relativizada, senão contestada. Mas que comunidades ditas desenvolvidas possam viver sem arte parece inaceitável. Talvez a situação de uma comunidade de algum modo desenvolvida e sem arte não se verifique uma vez que agora, no lugar daquilo que um dia pôde ter sido apenas artesanato, sempre parece existir alguém cujo *desejo de arte* torne a arte viável e viável a ponto de *dar a impressão* de que *os outros*, de que *todos os outros,* não a podem dispensar. Mas, o fato: a arte é questão de desejo, enquanto a cultura surge como resposta inevitável a uma necessidade: uma inevitabilidade. Aí está uma palavra que hoje permanece ocultada, reprimida: desejo. Arte é uma questão de liberdade — e essa é outra palavra ocultada ou reprimida hoje nas discussões sobre a cultura: liberdade (e ocultada no discurso sobre a sociedade, sobre o *social*, como se diz). De certa forma, é compreensível que seja assim: a cultura não se coloca a questão da liberdade (outro modo de dizer-se que na cultura não há liberdade ou há bem menos liberdade do que usualmente se considera). Como se confunde arte com cultura, e como a discussão da liberdade deixou de fazer parte da pauta social (por considerar-se resolvida, trágico equívoco[62]; ou por não haver mais como resolvê-la, algo não menos trágico) não se costuma (mais) tratar de liberdade quando se trata de arte. Arte é liberdade, porém. Posso *querer* fazer uma obra de cultura: mas o querer da cultura tem pouco a ver com o *desejo* de arte: digamos que a vontade de arte tem de ser maior e mais intensa do que a vontade de cultura para que a arte aconteça: muito maior e mais intensa. Se cultura é necessidade, não requer vontade — menos ainda desejo. Posso querer cultura, mas a cultura sobrevirá de um modo ou outro. Não a arte.

O programa para a cultura necessária, nesse caso, recobre uma questão em tudo distinta daquela relacionada à arte: se cultura é necessidade, o programa para o cultural pode, por exemplo (consequência inscrita na agenda atual da cultura adotada pelos organismos internacionais), revestir-se com a roupagem dos direitos humanos: os direitos culturais. Sei que estou diante de uma questão

[62] Em Alexandre Kojève (*Introduction à la lecture de Hegel*, Paris: Gallimard, 1968) figura essa hipótese deslocada de um "fim da história" em 1806 com a vitória de Napoleão na Batalha de Jena, que se teria concluído com o triunfo dos valores da Revolução Francesa (liberdade, igualdade, fraternidade) sobre os ideais do sistema aristocrático, isto é, com o triunfo da ideia de liberdade. A liberdade, claro, não se confirmou nem então, nem agora e a alegação de Kojève só pode ser entendida como um símbolo ou, mesmo, uma alegoria. De modo análogo, a liberdade não se configurou no Brasil com o suposto fim da ditadura mais recente em 1984, como o demonstra, entre outras coisas, a prática (pelos representantes de partidos políticos os mais diversos, à direita e à esquerda do espectro ideológico) da promulgação de *medidas provisórias* pelo Poder Executivo, quer dizer, pelo presidente da república, num óbvio curto-circuito do Poder Legislativo.

de *direitos* quando posso distinguir os deveres correspondentes: em princípio, sem deveres não há direitos. Há uma série de atos culturais, de atos do cultural, que são claramente deveres culturais: o dever de tolerar[63] (de algum modo ou até determinado limite) a diversidade (tolerar aquele que não se veste como eu, tolerar aquele que comparece no chamado ocidente a uma reunião formal com seu traje tribal de gala que nada tem a ver com meu paletó e minha gravata ocidentais de gala); tenho o dever cultural da *deferência* em situação social ainda que a isso não me obrigue a *cidadania* (várias questões de trânsito são questões culturais mais amplas antes de serem uma questão mais estreita "de cidadania" ou são questões de cidadania porque são questões culturais, não por outra razão). O problema surge quando me pergunto quais os deveres diante da arte: tenho o dever de gerar cultura, de produzir ou reproduzir o cultural, numa situação social: não tenho o dever de gerar arte, em nenhuma situação social. A geração da arte em situação social é um *plus*, um suplemento, sequer um complemento: um acessório: a pessoa que numa reunião social souber dizer um poema será vista de modo distinto, será mais bem vista que outra, tornará a noitada mais agradável e significativa; mas ninguém está obrigado a dizer um poema num encontro social (não mais, em todo caso — não mais, infelizmente): isso é diferente do dever de comer, à mesa, conforme ditam as regras da convivialidade: se eu comer com os dedos num jantar em alguma cidade cosmopolita poderei ser convidado a deixar a mesa: se eu não disser um poema ao final desse jantar não serei convidado a deixar a sala. Se não há um dever diante da arte (dever *para com* a arte é outra coisa) é possível que não haja um direito à arte: é possível que o sistema do direito à arte, diversamente do direito à cultura, seja um sistema feito de *assimetrias* — e o problema é que a forma do direito hoje, a forma jurídica, é feita de simetrias: é uma forma simétrica. Se não tenho dever diante da arte, terei direito à arte? Não há direito ao sexo porque não há um dever do sexo: a expressão "deveres conjugais", no sentido de *obrigatoriamente fazer sexo com o parceiro*, é, a rigor, uma *força de expressão*, falácia: não há deveres conjugais, há desejos conjugais, por estranha que seja a expressão: se o desejo cessar, não há como obrigá-lo a manifestar-se: isso pode dar margem, no limite, à cessação do laço jurídico do casamento (um motivo longe de ser límpido e pacífico) — mas neste caso a simetria se processa, se o fizer, por outras categorias e vias: "deveres conjugais"

[63] Hoje procura-se mesmo superar essa ideia com outra mais ampla: a de aceitação, não mais apenas a de tolerância.

não se implementam por relações sexuais impostas (não mais: o direito do senhor feudal à *primeira noite* não mais tem sentido, hoje recebe outro nome: estupro). Se há uma deferência cultural numa situação social, devo e posso restaurar o equilíbrio da situação por meio de outra deferência cultural: "passe você primeiro": uma deferência sexual não pode obrigatoriamente ser equilibrada por outra. Não existe direito ao sexo. Sexo é privilégio. Pois, cabe admitir a ideia de que a arte seja um privilégio. Posso ser obrigado a restaurar o equilíbrio de uma *situação artística*, quando me é reconhecido o privilégio de uma experiência artística, de algum outro modo: pagando o preço de uma entrada ou narrando a alguém em que consistiu para mim aquele privilégio: quem não estiver em condições de restaurar a simetria da experiência artística do ponto de vista do dever não pode invocar o direito à arte: diante de privilégios não há direitos. *Carnaval* parece uma necessidade cultural para certas comunidades: nem mesmo o carnaval pode ser um fato gerador de direitos culturais em termos absolutos, nem sequer em termos amplos: não tenho o dever ou o direito de produzir um desfile com tantos ou quantos carros alegóricos luxuosos e tantas fantasias fantásticas e tantos seres humanos homens e mulheres deslumbrantes: isso não gera direitos: *considerando as coisas como estão*, a comunidade no entanto, por uma razão de *hábito*, tem de encontrar o modo de garantir meu direito a *algum* carnaval e por isso durante algum tempo em alguns lugares ninguém será preso por atentado ao pudor se aparecer semidespido em público. Mas não tenho nenhum direito a exigir uma arte diferente da que tenho, ninguém está obrigado a produzir arte: terei o direito de me colocar diante de uma obra de arte *se ela estiver aí* por uma série de motivos em nada artísticos: porque a arte reunida neste prédio foi comprada com dinheiro público e porque o prédio é público ou porque o proprietário de tais e tais obras deixou escrito em testamento que suas obras devem ser mostradas publicamente (gratuitamente ou não, essa é outra questão). Mas, pode ser que a arte seja privilégio: para quem faz e para quem recebe. Não um direito.

Um programa para a arte será portanto de natureza discricionária: as fundações que amparam a arte são discricionárias: em alguns países, as pessoas têm o direito de organizar-se em fundações para promover fins que se tenham proposto ou inventado: os deveres resultantes desse direito não são intrinsecamente artísticos nem se referem à arte do mesmo modo como os direitos humanos se referem à vida. Assim, se uma sociedade como a brasileira em uma situação de democracia tem o dever de abrir espaços para o carnaval, será o caso de produzir uma política cultural para o carnaval (essa política se diz *provedora* — e nesse caso a política correspondente será de *intervenção* ou de *coordenação,* não raro, ambas). No caso da arte, a política correspondente só pode ser de *cooperação*: alguém que *queira* produzir arte *pode* (tem o direito a, no sentido vulgar da expressão) pedir minha cooperação como fundação: eu, como fundação, não tenho o dever de cooperar, posso fazê-lo ou não: posso fazê-lo em algum caso, segundo meu parecer discricionário, e em outros não — e o direito, para ser tal, não pode ser viável em alguns casos e em outros não, ou ser deste tipo em tal caso e de outro tipo em outro caso. Casos de *política cultural de intervenção* no domínio da arte costumam configurar, a rigor, situações de exceção em termos de democracia: numa palavra, isso só acontece ou só deveria acontecer sob ditaduras, caso do realismo-socialista na ex-União das Repúblicas Socialistas Soviéticas, caso da arte nazista, caso do cinema de conteúdo histórico no Brasil sob os militares de 1964 a 1984 etc.

Arte é privilégio: hipótese. Podemos decidir tratar a arte de modo especial. Mas não é uma necessidade. Nem um direito. (Posso educar uma necessidade, posso educar para uma necessidade: não posso educar um desejo ou esse desejo não terá a liberdade de ser o que é: no limite, posso educar para um desejo, desejo porém ao qual ninguém estará obrigado: se o fizer, isso não gerará um direito.) (Refiro-me a *desejo*, pulsão arrebatadora, não a outra coisa, não a coisas fracas que por um motivo ou outro são apresentadas como desejo.)

FINS	utilitária	*educativo profissionalizante (ética. lógica)*	transcendente (gratuita)	*gosto (estética)*
	(finalidade imanente)		(devir contingente)	

O cultural é utilitário: tudo reforça esse seu sentido, desnecessário armar demonstrações múltiplas ou rebuscadas para prová-lo: o cultural é social, responde a necessidades específicas: é útil para alguma coisa. A arte não é útil *como* arte. O retrato de Mona Lisa pode ter sido documento: como a fotografia hoje, mostrava para outra pessoa, situada *em outro lugar*, os traços físicos de determinada mulher que vive *aqui*. Perdida a função documental, restou, nesse caso, a arte. Como arte, *Mona Lisa* não tem utilidade específica: não é útil nem mesmo a minhas exigências estéticas, que podem ser atendidas de outro modo (de resto, exigências estéticas podem ser atendidas inteiramente fora do campo da arte, embora só o possam ser por comparação, mesmo virtual, com a arte). A obra de arte nesse sentido é gratuita. Como essa expressão ainda ofende e irrita, pode-se trocá-la por outra: a obra de arte é transcendente em relação a seus fins: transcende todo e qualquer fim que se lhe possa propor, em toda e qualquer situação: se não o fizer, não é obra de arte: a obra de arte aceita a *contingência do devir*, à qual se opõe a *finalidade* da cultura. *A resistível ascensão de Arturo Ui*, de Bertold Brecht, transcende sua utilidade como instrumento de denúncia do nazismo e do capitalismo e como instrumento de reforço da ideologia marxista ou comunista ou soviética: outro modo de dizer que essa peça é a rigor *indiferente* a qualquer desses usos que dela se queira fazer: *indiferente*, isto é, continuará a ser ela mesma independentemente desse uso e continuará, mais e melhor, a ser *diferente dela mesma* independentemente desse ou qualquer outro uso. Nesse sentido, *A resistível ascensão de Arturo Ui* é tão gratuita quanto qualquer pintura surrealista do *avida dollars* que foi Salvador Dali segundo ele mesmo, o que significa que aquela peça teatral é tão transcendente como esta tela pintada[64]. Um programa para o cultural utilitário será um programa instrumentalizante (educativo, profissionalizante, socializante, econômico): um programa para a arte transcendente terá a ver fundamentalmente com o *gosto*, quer dizer, com a *ampliação da esfera de presença do ser* (Montesquieu) — ampliação é devir, com toda sua contingência — e nada mais que isso, em princípio. A ampliação da esfera de presença do ser não é feita com um propósito definido (frequentar a arte para instruir-se, para elevar o próprio espírito, é o pior dos filistinismos, afirma Hannah Arendt): a ampliação da esfera de presença de meu ser é uma operação intransitiva: não sei aonde isso leva, não pretendo ir a lugar algum, apenas realizo essa operação. Se for melhor dizê-lo assim, a arte não é gratuita: é *intransitiva*. *Educar com arte* para aprimorar o cidadão ou para produzir o cidadão é algo de enorme estreiteza intelectual além de uma violação ao programa próprio da arte. Nesse aspecto, se o programa para o cultural tem a ver com a ética e a lógica, o da arte será essencialmente estético[65].

[64] Em 1720 Watteau pintou uma tela tendo por tema a fachada e o interior da galeria de arte de seu marchand, Gersaint, que a exibiu do lado de fora da loja como se fosse uma placa comercial. Em seu livro *After the End of Art*, Arthur Danto refere-se a esse caso como sendo um exemplo de contrariedade do primeiro dogma da estética segundo o qual a arte não serve a qualquer uso prático. A alegação é imprópria. Primeiro, dar um uso a uma obra de arte não significa que a arte tenha um uso ou seja feita para um certo uso ou se esgote nesse uso (uma placa comercial comum esgota-se nessa finalidade). Depois, cabe discutir sobre o real grau ou índice de *artisticidade* dessa peça de Watteau... e várias outras de suas telas...

[65] Utilizo essa palavra nos termos do sistema semiótico de Ch. S. Peirce, mais do que no sentido comum pelo qual ela se refere à percepção pelos sentidos. Em Peirce, o icônico, domínio do estético, também se vincula ao sensorial mas o ultrapassa para definir-se, antes, pelo abdutivo e por tudo aquilo que se distingue do simbólico e do indicial.

MODO SEMIÓTICO	comunicação (informação)	*discursivo tradutivo diretiva*	expressão	*ativo expressivo*

O quadro começa a fazer mais sentido: um *cultural* que é útil assumirá o modo de uma *comunicação*: o sentido por ele agenciado é o da circulação azeitada do significado: a comunicação (na forma privilegiada da informação). A arte não se preocupa com comunicar coisa alguma: a arte *expressa*, o que quer dizer que seu significado não circula sobre a esteira de uma cadeia de montagem que gira bem lubrificada, sobre a qual cada um coloca o que o código permite e da qual cada um retira mais o que pode do que o quer, ainda segundo os limites (bastante estreitos) do mesmo código.[66] A arte expressa. Sua semiose não flui por mãos de circulação sinalizadas: *mão/contra-mão, parada proibida, siga, pare, atenção*: seu significado se abre num desenho do qual a porção maior é a reprodução fractal da menor e vice-versa, sem limites previsíveis. *Mona Lisa* não comunica nada, donde o falso e ao mesmo tempo legítimo mistério de seu sorriso: expressa um universo. O programa para uma obra de comunicação será necessariamente discursivo: como a expressão não merece a *caput diminutio*, quer dizer, a redução que seria sua diminuição a um *discurso sobre,* um programa que a respeite deverá ser tudo menos discursivo: será ativo, prático: a práxis. Por isso a política para a arte custa mais, é mais cara e não pode ser de outro modo: por isso a Internet jamais fará pela arte, do ponto de vista da recepção, nada além que o slide e a reprodução fotográfica já não tenham feito, o que é pouco ou nada: a arte exige que se vá até ela, que se sinta como se a faz. Discursivo, o programa para o cultural comunicativo é um programa tradutor e diretivo, ao tempo em que o programa da arte não pode ser nada além de interpretativo — e interpretativo não-diretivo (Mais adiante se fará a precisão necessária, sob este aspecto). (A obra de arte não aceita *qualquer* interpretação, embora a aceite mais que uma obra do cultural: a arte exige algo que o cultural em princípio desconhece: competência.) (Não demando competência para sentir diante de uma obra de arte: gosto natural; demando competência para saber o que está em jogo numa obra de arte).

COMPONENTE SEMIÓTICO DOMINANTE	símbolo (a coisa, o mundo exterior à obra)	*simbólico*	significante (a coisa, o mundo está dentro da obra)	*indicial icônico*

[66] "O individual é inefável, o individual é inexplicável": E. Gombrich, "La historia del arte y las sciencias sociales" in *Breve historia de la cultura*, Barcelona Ed. Península, 2004, p. 102.

A obra de cultura opera com símbolos que remetem a alguma coisa situada fora e longe dela: seu referente, a coisa em si, o mundo. A cultura refere-se a um mundo fora dela (embora ela faça parte do mundo): um obelisco que remete a um passado colonial, uma estátua que assinala um fato histórico, um documentário sobre a vida de uma família campesina ou sobre o cotidiano da corte de Luis XIV: algo que aconteceu há muito tempo e é imaginariamente atualizado pelo evento cultural: exemplo, a Cavalgada de Reis, na Espanha, encenando algo que, narra-se, teria acontecido num passado remoto (a visita dos reis magos levando presentes ao menino Jesus) e que deixa algum *resíduo* no instante da encenação (o presente dado às crianças, alguma alegria pela recordação da infância nos adultos, a alegria que os adultos sentem ao verem a alegria das crianças) que não tem a ver com a representação em si mas com uma construção mental que se fazem aqueles que a assistem: essa a razão pela qual é indiferente que os reis magos sejam personificados (não são nem interpretados) por esta ou aquela pessoa, indiferente que essa personificação deste ano seja pior ou melhor que a do ano passado: o importante é que a personificação se dê: a tônica do evento cultural é seu *significado*. A obra de arte por certo arma significados mas sua operação básica se faz e está nos significantes. O significante da obra de arte não aponta para algo fora de si, fora da obra, distante no tempo e no espaço: o símbolo da cultura aponta para um mundo fora dele, o significante da arte tem a vida dentro de si. Por isso é fundamental o modo como se dá o processo que arma esse fenômeno: a qualidade da interpretação conta, como conta que seja esta e não aquela pessoa que esteja em ação. (No carnaval, a mulher nua que tem nome — esta é a modelo tal, essa outra é a atriz qual — a rigor viola o princípio da cultura: mais do que mostrar uma certa mulher nua a ideia é (ou foi) atualizar (tornar atual) a ideia geral da mulher nua geral: não era necessário que a mulher nua tivesse um nome, fosse conhecida: mais importante era a neutralidade, a impessoalidade da ideia: o importante era a ideia e a possibilidade de que essa ideia pudesse ser materializada por uma mulher qualquer, por qualquer mulher: quando a mulher tem nome, a função semiótica é outra, em princípio o *contrato cultural* foi rompido — sem que se tenha firmado e executado o contrato que entra no lugar do contrato cultural quando este é rompido: o *contrato da arte*; no carnaval, não é bem a arte que está em jogo ou não é a arte que consegue estar em jogo. Quando isso se der, o carnaval será arte — mas nesse caso, de acordo com o código atual, ele teria de ser diferente, e não seria mais um fato cultural...

O programa para a cultura (a política cultural, um modo de mediação cultural) é de natureza simbólica: tudo é convencional, tudo segue uma norma. Para a arte, o programa é icônico: seu modo "se parece" com o modo da obra de que trata, e vale para esta obra, não necessariamente para aquela; esse programa vincula-se a essa obra especificamente (da qual é índice[67]). Nisso reside o desafio a quem se encarrega de gerir o programa (a política cultural de mediação, por exemplo) para a obra de arte: cada caso é um caso diferente, o que essa pessoa sabe de um *outro caso da arte* pode *talvez* ajudá-la a enfrentar *este caso da arte*: mas cada caso é um caso.

SEMIÓTICA DE ACESSO	simbólica	*racionalidade convencional*	icônica indicial	*concreto abdução pragmático*

A semiótica da obra é uma, a semiótica com a qual penetro na obra não necessariamente é a mesma: não penetro no universo pictórico de uma pintura com a semiótica da pintura (caso em que meu modo de pensar seria, pode-se prever, inteiramente distinto). Se a semiótica da obra de cultura é a da comunicação, a semiótica geral de acesso será a simbólica[68]: aquela convencional, a que se firma por um acordo de início pragmático e em seguida absolutamente codificado, como no caso da língua. Para a obra de arte, a semiótica de acesso é antes icônica, por vezes indicial — mas sem dúvida icônica: não é possível codificar a emoção, sequer a percepção de uma cor, o efeito de um som. A convenção e o consenso têm, na obra de arte, um papel inversamente proporcional à sua grandeza: quanto mais densa, quanto mais rica, quanto mais comprometida com seu programa essencial, menos se pode recorrer à convenção e ao consenso para conseguir acesso a ela (embora, claro, nem a obra de arte esteja inteiramente livre de um e outro: a tela de pano e o chassis de madeira já são a convenção mínima à qual está sujeita toda pintura, inclusive a mais inovadora; o museu e a galeria de arte já são a convenção mínima (e enorme) que a prática artística mais vanguardeira tem de aceitar para tornar-se visível). O programa para a obra de cultura, nessa perspectiva, arma-se sobre uma racionalidade convencional (convenciona-se que os reis magos eram de tal modo e convenciona-se que de um determinado modo, *deste modo* específico, são representados; e a convenção não deve mudar nunca, sob pena de eliminar-se o sentido do evento). O programa para a obra de arte é pragmático: será um para determinada

[67] Não cabe desenvolver neste breve ensaio os princípios e os traços desse conceitual semiótico; a remissão, novamente, é à obra de Ch. S. Peirce ou, alternativamente, para comentários a essa obra como fiz em *Semiótica, informação, comunicação* (São Paulo: Perspectiva).

[68] A referência aqui é a semiótica de Charles S. Peirce.

obra, outro para outra obra; pouco funciona sobre o molde da racionalidade convencional: é abdutivo (modo do *pode ser*: pode ser assim ou pode ser deste outro modo), não dedutivo, nem indutivo (dado isto, *deve ser* aquilo: se era um mouro, então deve vestir-se de tal modo). O programa para a arte é específico: cada programa serve para uma obra. O programa para a cultura é genérico: um mesmo programa serve para várias manifestações daquela cultura.

SOCIALIDADE (Efeito de D)	reconforto (tranquilizar); estabilidade, integração (localizar-se) cuidar do outro (virtudes gregárias)	*identitário* *assistência social*	risco, inseguridade instabilidade indiferença pelo outro (*virtus*)	*informal* *aberto* *plural*

Uma obra de cultura que é útil e comunicativa tem a finalidade social de reconfortar (tranquilizar: reassegurar: dar firmeza: reafirmar: confirmar, firmar com, firmar junto com; permitir que o indivíduo se localize, encontre um lugar): cultura traz estabilidade para a comunidade e para o indivíduo que precisa em algum momento, menos ou mais, sentir-se em terreno conhecido: a cultura integra o social a si mesmo e cada um (dos que aceitam integrar-se) ao coletivo: neste foco, a cultura é uma questão de assistência social: a cultura cuida: cuida do outro: a cultura cuida de localizar cada um no interior do coletivo compartido, atribui um lugar (a quem o procura, o aceita, com ele se con-forma, a quem assume o formato que a cultura lhe dedica). A cultura dá a si mesma uma identidade e a projeta no outro, que a receba e se tranquiliza. A obra de arte é uma obra de risco: (a cultura da obra de arte é uma cultura de risco, uma cultura do risco: mas não seria possível falar numa *cultura do risco*, numa cultura marcada pelo risco, a não ser na atual linguagem frouxa e vaga quando o objeto de referência é a cultura, uma vez que *cultura* e *risco* são termos antitéticos: cultura é o contrário do risco, fazendo uma obra de cultura ou me expondo a uma não corro risco algum: posso correr um risco econômico, o mesmo em que se incorre na produção de uma obra de arte, mas não corro um risco diante do código da cultura, não coro um risco social (um risco diante da sociedade, um risco provocado pela sociedade). O jogo (o jogo do bicho, o bingo, esse signo do Brasil contemporâneo no início de século 21 em sua governabilidade ou ingovernabilidade, na sua permissão e na sua proibição) só pode ser dito *cultural* segundo o código igualmente frouxo da antropologia, para a qual cultura é tudo e tudo é cultura: esse código não serve: o jogo é o contrário da cultura: desconforta, desestabiliza, desintegra, não cuida do outro: procura a derrota do outro: se os governos querem argumento para proibir o jogo, aí está um: o jogo (*esse* jogo) é anticultural: os governos que admitem o jogo e, mais, que procuram no jogo fontes de rendimento têm o mesmo comportamento dos banqueiros ilegais do jogo: buscam o enriquecimento do Estado às custas da instabilidade e da desestabilização do jogador. De seu lado, a arte, essa sim, é risco, arte é inseguridade: para quem a faz, para quem a recebe: a arte é desestabilizante, incômoda: no código contemporâneo, se a obra de arte não for desestabilizante, não reúne as condições mínimas para dizer-se arte. Não há margem para ilusões: *Don Quixote* desestabilizou, Shakespeare propõe a insegurança, tanto quanto Joyce e Guimarães Rosa. Comparada à obra de cultura que cuida do outro, e nesse sentido, a obra de arte é *indiferente*: o que pode acontecer com o outro e no outro que se expõe a ela não é de seu interesse e, acima de tudo, de sua preocupação. A cultura é feita, nas palavras de Nietzsche, de virtudes gregárias (as pessoas se agregam diante de algo maior, ameaçador, incompreensível); o que marca a arte é a *virtus*, o oposto das virtudes gregárias: o valor, a fortaleza, a coragem *em si* e *para si*, a força adquirida por si mesmo e que vale para si mesmo.

Derivação: o programa para a arte é aberto, incerto, informal, plural, divergente: para o cultural, o programa é convergente, tudo deve convergir para um mesmo ponto, uma mesma ideia. Na série *Jazz*, dirigida por Ken Burns para a TV em 2002, um crítico diz da obra de Duke Ellington: "quando ouvimos sua música, sabemos de onde ele tira isso, de onde vem cada pedaço embora ao modo dele: sua música é negroide sem ser exclusiva: sua música recebe". E diz ainda: "*Civilização* é algo que pode ser reduzida a uma palavra: seja bem-vindo!" Eventualmente. Mas não se pode esperar *da arte* que diga a quem dela se aproxime: seja bem-vindo. Não sempre, não necessariamente. Talvez nunca. Já da cultura se pode, sim, esperar que ela receba bem as pessoas que dela se aproximam — pelo menos as que pertencem à mesma cultura. Vistas de modo geral, há culturas que *recebem* mais e outras que *recebem* menos. Há culturas que não dizem *bem-vindo* ao outro a menos que esse outro se anule como tal e passe a identificar-se com a cultura na qual espera ser *bem-vindo*: a jornalista e escritora italiana Oriana Falacci teve de cobrir a cabeça com um *chador* para entrevistar o aiatolá Khomeini depois do golpe ou revolução que derrubou o xá Pahlevi: não importou se Oriana Falacci vinha de outra cultura que não obriga a mulher a cobrir a cabeça diante do homem: aos olhos do homem iraniano, aquela mulher italiana tinha de mostrar respeito pelo homem iraniano e pela cultura do homem iraniano mas esse homem não se sentia obrigado a mostrar respeito pela mulher e pela cultura original da mulher, aceitando-a como ela era: para ele e para sua cultura, que deveria predominar sobre a cultura da visitante, aquela italiana não era *bem-vinda* em si e assim como era, apenas pelo fato de ser o que era. Se a observação do crítico de jazz for válida, uma cultura que não recebe o qe vem de fora assim como é, não é cultura. Mas, é que aquele crítico não usou a palavra *cultura* e, sim, a palavra *civilização*; nesse caso, aquela cultura que *não* recebeu a jornalista italiana como ela será uma *cultura* mesmo assim, porém não será nunca *civilização*. A cultura pode ser um *modo fechado*, um modo para uso interno (de um grupo), mas a civilização é algo que transcende a cultura: civilização, como se pode entendê-la melhor, é a cultura que se propõe como modelo ou, melhor, a cultura que *é tomada* como modelo a imitar: uma cultura que tenha por norma *não* receber bem, não será uma cultura imitável: nunca será uma civilização. A arte pode não receber bem quem a ela se expõe: mas não discrimina: quando não recebe bem, não recebe bem *a qualquer um*, sem distinção.

MODO IDEATIVO	descoberta construção repetição	*programático*	invenção desconstrução interrupção	*pragmático*

O cultural quer *descobrir* onde está sua verdade, sua essência, sua natureza: seu ser, supõe-se, está em alguma coisa que, vindo à luz, vitaliza todos aqueles e tudo aquilo que a ele se referem. O cultural pretende ser uma descoberta. O cultural, a seu ver, sempre *descobre* uma verdade oculta. Uma vez descoberto o modo de ser, o modo assim será e já trará em si seu modo de representação. O cultural pretende que existe uma pertinência necessária entre a *representação* que adota e a *coisa em si*: supõe a existência de um elo imperioso entre a representação e o referente: uma determinada coisa, para ser o que é (para ser autêntica, para ser daquele cultural, para ser aquele cultural) deve ser *assim*. O cultural, sem dizê-lo, pretende vigorar em virtude de um alegado elo icônico ou indicial entre a *coisa* e sua *representação* por esse cultural: a representação reproduziria alguma qualidade do referente (caso do icônico: assim como uma foto se parece com o fotografado) ou a ele estaria espacialmente vinculada (caso do indicial: a camiseta do ídolo do futebol ou da música pop já é um pedaço desse ídolo). Sendo assim, a única coisa que o cultural poderia fazer, para justificar-se, seria descobrir essa qualidade, qual esse elemento de representação fisicamente vinculado à coisa representada, e onde ele ou ela está. O cultural propõe-se assim como operação de arqueologia: descobre-se parte por parte como deve ser a representação (por exemplo, a identidade nacional) e constrói-se o todo. Uma vez construído o todo, a única coisa que se pode fazer é repeti-lo *ad eternum* ou *ad nauseam*. De seu lado, a arte nada descobre: inventa: a invenção é uma convenção (um símbolo) que em seguida sai em busca de um referente concreto eventual que se lhe acomode (um personagem em busca de seu princípio causador; uma pintura abstrata em busca do que possa ser). Para a invenção, a desconstrução é instrumental: para inventar algo, primeiro é preciso desconstruir alguma coisa existente. A descoberta é um dado, a arte jamais é um dado: é um criado: nem um dado nem uma série de dados jamais produzirão arte: arte é *chance & choice,* acaso & escolha, aleatoriedade e convenção. Sendo desconstrução, a arte é uma interrupção: uma interrupção em algum processo anterior. Sendo a invenção seu princípio, a arte não pode repetir-se: o princípio de validação da ciência é a repetibilidade, a reprodutibilidade da experiência; o princípio de validação do cultural também é a repetibilidade: se posso repetir alguma coisa, sei que estou lidando com o cultural (a cultura de uma arte pode sepultar a arte: a cultura da ópera sepulta a arte da ópera). A arte não se pode repetir: se for reprodutível, não vale como arte (Jorge Luis Borges: "a questão não está em imitar alguém, a questão é ser inimitável"). Por ser irreprodutível a arte é falsificável: como a cultura é reprodutível (um desfile de escola de samba de São Paulo é na essência idêntico a um desfile de escola de samba do Rio: um desfile de escola de samba do Rio é na essência idêntico a outro desfile de escola de samba do Rio: um desfile de escola de samba do Rio em 2004 é na essência idêntico a um desfile de escola de samba do Rio de 2000; a diferença é de grau, não de substância) nenhuma de suas cópias é falsa: todas cumprem a mesma função (todos e cada um dos carnavais funcionam, mesmo sendo iguais entre si: funcionam porque iguais). A reprodução *tal qual* em arte (a cópia idêntica de uma pintura) não tem sentido (aquilo para o que uma coisa foi feita); fazer uma obra nova à maneira de um artista pode "funcionar" enquanto não se descobre a simulação: a descoberta da real autoria destrói a simulação enquanto sistema. A reprodução de um cultural não destrói nem o simulacro que é essa cópia nem o original, nem o sistema em que se inclui. A cultura não destrói nunca, a cultura conserva. Não existe cultura revolucionária.

Essa é a representação que o cultural se faz de si mesmo: essa, a ideologia do cultural: o cultural como descoberta, como achamento da coisa em si. Em realidade, o cultural é ele também uma invenção, não uma descoberta: o vínculo entre a representação do cultural e seu referente é bem menos necessário do que propõe o cultural. O cultural não se faz pela desconstrução mas pela construção; e o cultural não interrompe, não se interrompe, mas repete: entre ele e seu referente não há porém uma relação de qualidade (icônica) necessária nem uma relação de proximidade (indicial) tão forte como supõe. O cultural acredita ser, nos termos da semiótica, um qualissigno (um signo que reproduz uma qualidade da coisa, um signo dotado de iconicidade) eventualmente simbólico ou então um sinsigno (um signo singular, que funciona numa circunstância específica, numa ocasião determinada, e que tem indicialidade) simbólico quando de fato é o exato oposto: é predominantemente um legissigno (uma convenção, um simbolismo por convenção) icônico ou um legissigno indicial, quase sempre. A arte, inversamente, é, sim, primeiro um qualissigno (na arte contemporânea, frequentemente um sinsigno, como no caso de uma instalação) e depois, acaso, um qualissigno simbólico, um sinsigno simbólico.

Nesses termos, o que no limite distinguirá entre o cultural e a arte será seu programa de elaboração: o cultural é programático: definem-se os passos, cumprem-se as etapas, obedecem-se os princípios firmados e consegue-se o resultado desejado. O programa para a arte é pragmático, empírico: os passos são incertos, tentativos, não há princípios orientadores (receita), não se sabe se o resultado alcançado é o desejável, nem se é desejável, nem se ocorrerá.

MITO   verdade revelada   *afirmativo*   proposta reveladora   *propositivo*

Por trás do cultural aninha-se (ceva-se) o mito da verdade revelada: "essa é nossa verdade, assim é nossa identidade, definida desde sempre e para todo o sempre (que sorte a nossa tê-la descoberto!) e que assim será por todos os séculos, não mexamos nela ou nosso destino se interromperá tragicamente". É um totem e um tabu. Ou: "o carnaval é assim", "o carnaval se faz assim e de nenhum outro modo", "o samba e carnaval é deste modo, não de qualquer modo". De seu lado, a arte propõe algo que pode revelar alguma coisa. Ou não. O programa para o cultural não tem como *não* ser afirmativo: é *assim* que se faz (exemplo, se faz com tantos minutos de duração ou tantas horas, com tantas partes e com tal tipo de música e não com outro). O programa para a arte é nada mais que propositivo: arte pode-se fazer assim mas pode-se fazer deste outro modo e daquele outro, e se vê assim e também deste outro modo e daquele outro modo. O programa para o cultural é um, o programa para a arte são inúmeros.

RETÓRICA	dialética e síntese totalizante	*tecno-científico*	justaposição; a totalidade e a síntese são quimera	*poético*

O cultural, que é totalizante, gera um discurso totalizante que se apresenta como a síntese de uma multiplicidade (senão uma diversidade) de aspectos por ele abarcados. Nenhuma obra de arte *fala* de uma totalidade – nenhuma totalidade específica: Hamlet não diz a totalidade do homem inglês do século 16 ou 17 e do homem hoje, nem a síntese de um e outro: Édipo não é a síntese nem a totalidade do homem grego e do homem contemporâneo: para a arte, a síntese (e a totalidade) é uma quimera (ou um suplício, armadilha), portanto a arte não opera uma dialética (a composição entre contrários) (a ambição de alguma ciência, ou daquilo que como tal é visto, como a psicanálise, de proceder a sínteses a partir da arte chama a atenção por fazer, a partir da arte, uma operação que à arte é estranha; o mais provável é que esse procedimento gere, não uma ciência,mas outra arte, outro modo da arte ou, em todo caso, e pelo menos, de literatura). A arte opera *justaposições*: uma coisa ao lado da outra, fazendo o suficiente para que uma coisa conviva com outra sem se fundir uma na outra. O programa (a política cultural) para a arte é uma poética, será melhor caso se aproxime do modo da poética; o programa para o cultural é de natureza técnica, no limite científica: a tecno-ciência, como diz Derrida (a possibilidade de um programa tecno-científico servir-se bem de uma poética para alcançar seus fins é maior que o contrário, isto é., um programa para a arte assumindo as cores tecno-científicas). A poética de uma obra (penso na *Poética* de Aristóteles) transformada em programa de produção (de reprodução) vira cultura: é o caso do cinema norte-americano que fez das normas descritas na *Poética* (as peripécias, a flexão/inflexão etc.) de Aristóteles um programa de operação-tipo, razão pela qual o cinema norte-americano é, em princípio e salvo demonstração em contrário, peça de cultura enquanto o cinema de Glauber e Godard é, em princípio e salvo demonstração em contrário, arte. Não espanta que o cinema dos EUA enverede por um programa de ação técnico-científico: faz parte de sua lógica estrutural.

MODO DISCURSIVO	narrativa	*abrangente*	fragmento (ato unitário)	*mosaico*

Descobrindo uma verdade revelada (dizendo que o faz), o cultural é uma narrativa: não por nada o samba da escola de samba é um samba-enredo, denominação que não poderia ser mais adequada: no cultural há uma apresentação inicial (o problema), um desenvolvimento e o desenlace, a resolução do problema. O cultural *resolve*. A obra de arte não resolve, porque não desenvolve: o cultural procura (o cultural é uma procura), a arte acha (Picasso). Frequentemente, a procura do cultural é uma falsa procura, uma procura que não tem sentido, um problema inexistente: a resposta já está dada de antemão. Como a arte não procura — acha —, a arte não desenvolve: a arte não é narrativa no sentido em que há uma apresentação, um desenvolvimento e um desenlace: nesse aspecto, a arte se mostra como fragmento: a obra de arte é um ato unitário. Propor um programa (o que é hoje chamado de política cultural) para o trato com a obra de arte é operação em mosaico: um quebra-cabeça diante do qual se procede peça a peça: e as peças não se encaixam à perfeição umas às outras, há sempre uma fresta entre uma e outra (os filmes de Godard são entremeados por fotogramas pretos: a ligação entre uma sequência e outra, entre um plano e outro, não é contínua, suave, deslizante, pode ser mesmo arbitrária e pode ser nenhuma: o processo, em Godard, segue aos trancos, organiza-se ao redor de lacunas e interrupções: o ***mosaico*** é uma operação ao redor de lacunas, interrupções: os interstícios entre os diferentes fragmentos; à distância o mosaico pode parecer uniforme, sem falhas: mas à distância igualmente pouco se vê do mosaico, de sua natureza específica, além de uma vaga impressão geral: e quando o observador se aproxima, é possível que perceba que as partes são mais importantes que o todo, ou que o todo do mosaico está em cada uma de suas partes e não no todo ele mesmo. Fernando Pessoa: a natureza é partes sem todo. Num primeiro momento, a arte é como a natureza: não existe ***a*** arte, apenas várias partes (as obras de arte) que só falaciosamente formam um todo. Em relação a cada obra de arte, a arte é o inverso da natureza: todo sem partes: ato unitário, não divisível, ancorado em *uma* experiência. A narrativa da obra de cultura conclui; a "narrativa" da arte não é terminável, permanece inconclusa. Valéry: *um poema não se termina nunca, simplesmente se abandona*. Uma pintura também, um bom romance também, um bom filme também.

UM POEMA NÃO SE TERMINA NUNCA: SE ABANDONA.

MODO DE ELABORAÇÃO DO DISCURSO (D, d)	construção	*reprodutivo*	rompimento destruição criativa desconstrução desaprendizado	experimental

Por vezes estabelece-se uma confusão entre o *discurso da coisa* (o discurso da obra de cultura ou de arte em si) e o discurso *sobre a coisa*, sobre a obra: a ascendência, sobre a coisa, do *discurso a respeito dela* por vezes obscurece a coisa ela mesma. Frequentemente a obra agrega a seu conjunto o discurso que sobre ela se faz, de tal modo que entender o *discurso sobre ela* é considerado em grande parte como operação necessária ao entendimento da obra em si (o inverso não é verdadeiro). O discurso *da obra de cultura* se faz por construção, por agregação do que é conhecido, do que já existe e é preservado e como tal incorporado à obra: o carnaval do Rio se torna sempre mais complexo, novas máquinas se introduzem, a eletrônica terá um papel destacado a representar nesse carnaval, no futuro: até aqui, porém, o princípio é o do novo que se agrega ao velho sem turvar a linha do velho. O discurso *da obra de arte* em si elabora-se por rompimento com o que existe (princípio valorativo da arte contemporânea, obviamente nem sempre seguido) ou, em todo caso, pela *destruição criativa*, pela desconstrução do anteriormente existente (arte moderna: primeiras telas abstratas de Kandinsky, primeiras telas cubistas de Picasso). *Piquenique na grama*, de Manet, é uma destruição criativa de outras pinturas análogas do século XVI: por vezes a destruição criativa se dá pela simples cópia de uma representação anterior mas com os meios e a visão do momento em que se processa aquilo que não é mais uma cópia porém uma transcriação. A transcriação não é desconhecida na cultura (sob o nome de aculturação), mas o processo de elaboração da obra de cultura é antes por agregação e eventual (raro) aumento da complexidade do que por rompimento ou destruição criativa. Para a obra de arte realizar-se, seu criador deve desaprender o modo pelo qual se fazia arte antes. Na obra de cultura, é fundamental o aprendizado do *tal como* (fazer tal como foi feito antes). Correspondentemente, um programa de política cultural para a obra de cultura é um programa baseado na reprodução: o programa para a obra de arte será sempre experimental: o que valia para uma obra de arte anterior não vale necessariamente para esta que tenho à minha frente.

Num ponto, porém, ambos os lados, cultura e arte, tendem a encontrar-se: o *discurso sobre a obra de cultura* e *o discurso sobre a obra de arte* tendem a fazer-se do mesmo modo: por construção, por agregação, por complexificação do existente. O ensaio pós-moderno sobre a obra de arte (ensaio de rompimento, de destruição criativa, de desaprendizado, de desconstrução) ainda é em larga medida inexistente, uma raridade: ver *La vérité en peinture*, de J. Derrida. (O melhor ensaio sobre um filme de Godard é outro filme de Godard.) A tendência do ensaio sobre a arte é transformar, pelo ensaio, a arte em cultura. Talvez, uma inevitabilidade. E procedendo assim, será inviável *dar conta* da arte: o discurso da obra de cultura não pode ser o mesmo daquele aplicado sobre a obra de arte pois tenderá a não apanhar na obra de arte o que é próprio da arte (pois tenderá a ver na arte apenas aquilo que vê na cultura). Talvez por isso Voltaire nunca aceitou escrever um tratado de estética, discutir a estética...

FOCO DO DISCURSO (D, d)	convergente	*centralizado*	divergente	*multifocal*

Tudo que a obra de cultura diz, converge para um mesmo ponto: a identidade, por exemplo; a coesão nacional, por exemplo. O discurso da obra de arte é divergente: seu conteúdo se abre em leque: na pintura que Velásquez faz de um rei, a figura dessa pessoa é tão importante quanto a figura do cavalo que monta: o foco apenas aparentemente é o rei, ou: sem os outros focos, o foco do rei nada é; na cena imaginária que apresenta de uma cidade espanhola, a pintura de El Greco é tanto "sobre" as figuras de pessoas em primeiro plano quanto "sobre" a cidade em segundo plano e "sobre" o céu acima dela. O programa (de política cultural) para a obra de cultura pode centralizar-se em um ou alguns poucos pontos. Se fizer o mesmo em relação à obra de arte, o programa a reduzirá a ponto de torná-la irreconhecível: mutilada: exemplo, a monitoria de arte que aborda apenas o conteúdo pouco ou nada estará dizendo sobre a obra em si.

Seria possível dizer que uma obra de cultura poderia tornar-se cada vez mais *aberta*, passando sua estrutura eventualmente de convergente para divergente. Mas, nesse caso a obra estará deixando de ser de cultura para transformar-se em obra de arte.

MATÉRIA (D, d)	normas, hábito regras (arquivo, discurso)	*codificado regulamentar*	desregulação valores autônomos (texto); a crítica	*casuístico anárquico*

O que constitui e produz a obra de cultura — sua matéria: forma e conteúdo não bastam para descrever e dar conta de uma obra de cultura ou arte — é o hábito, o fazer-se assim porque assim se faz; e também as normas, as regras: o rito produtivo é estrito. Repetir o rito (recorrer ao arquivo, nos termos de Foucault: copiar o discurso já feito) é a norma. Na arte, cada obra, como texto diversificado, tem seus valores, faz seus valores. O princípio da arte é desregulamentar o que existe — relativamente: tampouco a arte existe *no vazio do método*: certos modos da arte existem também em virtude das normas pelo menos na estrutura central (exemplo, a pintura se faz em tela, em superfícies planas como uma lâmina de alumínio; algum artista, no entanto, preferirá pintar sobre a superfície curva de um vaso: será difícil ver claramente a cena, entendê-la: esse, o seu objetivo. Mais do que isso, arte é a crítica (a crítica do hábito, para começar: a crítica da cultura), a procura crítica, a especulação crítica. Em síntese, cultura é hábito; arte, liberdade. O programa (a política cultural) para a obra de cultura será codificado, duplicável. Para a arte, o programa (a política cultural) é casuístico: cada caso é um caso: a insistência no recurso à divisão da arte pictórica por escolas de representação (isso é impressionismo, isto é expressionismo) para assim conseguir-se uma aproximação à obra de arte é a transposição dos princípios da cultura para o universo da arte: a confusão, o desconhecimento que derivam dessa operação não podem ser nunca suficientemente reprovados, e no entanto constituem a regra. Cada obra de arte teria de ser abordada a partir do que ela oferece de específico e único.

PRINCÍPIO IDENTITÁRIO (SOCIALIDADE 2) (Efeito do discurso 2) (D, d)	identidade a identidade do e pelo mesmo, pela repetição; via afirmativa da identidade	*metafórico*	diferença a identidade pelo contraste, pelo inédito: via negativa da identidade	*metonímico*

O efeito 2 do discurso da obra não é posterior ao 1: vêm juntos, um reforça o outro, para que um se dê é preciso a ocorrência do outro: relação de interdependência entre os dois. A obra de cultura produz identidade, garante a identidade e garante a si mesma pela identidade que gera. O *mito* da obra de cultura costuma ser o mito da identidade e a obra de cultura é o próprio rito que sustenta esse mito. A narrativa que faz a obra de cultura costuma ser a narrativa da identidade, antes e acima de qualquer outra narrativa incidental que possa ter (assim como se fala, no cinema, de música incidental: incide na estória sem ser seu elemento central, embora o modifique). A totalização que faz é a da identidade, e tudo na obra de cultura converge para esse ponto, apesar dos desvios que possa ter (as narrativas segundas). Nesse foco, o efeito da obra de arte é a diferença: a identidade inicial gerada pela arte é a da diferença, não a da repetição cultural. No princípio, na cultura, está a afirmação. No princípio, na arte, está a negação. A identidade na arte é divergente: abre-se a identidade para um leque de possibilidades, ao passo que na cultura a identidade se fecha num foco, num pólo gerador. A identidade na arte surge pelo contraste, não pelo reforço: é a via negativa de elaboração da identidade, a contrapor-se à via afirmativa da identidade na cultura. Essa identidade na cultura é abrangente, no mínimo particular (de um grupo, de uma comunidade) quando não universal: seu programa, sua política correspondente (política: ponte entre a obra e o público, entre a obra e seu produtor, entre o produtor e as condições de produção, ponte para multiplicar o público, as obras e seus produtores) será metafórica: fala de longe sobre uma identidade, fala sobre essa identidade desde longe, leva longe essa identidade no tempo e no espaço. O programa para a obra de arte será metonímico, intimamente ligado *à obra à qual se refere*: a identidade, aqui, só pode ser abordada *de perto*, aqui onde a obra se dá: não tem valor *longe*, à distância, transposta para outro tempo e outro espaço: não é transponível. Penso na instalação, como exemplo. Penso no teatro do aqui-e-agora, como o de Grotowski em *Apocalypsis cum figuris*, representado na década de 70 numa pequena ilha desabitada ao largo de Veneza, no interior de uma edificação precária aonde o "público" chegava depois de viajar num *vaporetto* por uma dezena de minutos e depois de andar pelo meio do mato por outro tanto, edificação na qual o público a rigor não mais é público pois participa da vivência de uma representação efetivada pelos, pelos "atores" (porque já quase não o são mais, dado que vivem a cena tanto quanto a representam), vivência que não mais se repetirá se essa "peça", que é menos ainda um espetáculo pois quase não se dá a ver dentro de uma edificação sem luz elétrica, for depois repetida no palco de um teatro normal — mas essa peça não pode ser repetida. O sentido está preso *àquela* obra, *naquele* local, *naquela* noite, *naquela* circunstância: metonímia.

E a identidade na obra de arte não se repete (a identidade artística do produtor pode cambiar ao longo de sua trajetória), embora possa ser identificável — embora possa apresentar-se *como* uma identidade: de fato, como essa identidade pode cambiar, o processo a rigor é de identificação, *ação* da identidade, processo de substituição ou de encadeamento de uma identidade por outra. Na cultura, a identidade é repetível ao infinito ou, em todo caso, por um período indeterminado mas certamente longo...

TEMPORALIDADE (Duração de D) (D)	duradoura (caso radical: folclore)	*épico*	efêmera (caso radical: performance)	*trágico*
TEMPORALIDADE (Função no tempo)	continuidade		interrupção	

PROCESSO	reiterativa reprodutiva	*acumulativo* *patrimonial*	intermitente interruptiva	*dispersivo*

...mesmo porque a obra de cultura é duradoura: dura e dura muito, como no folclore, caso limite: a obra de cultura é épica, o programa que dela trata assume as formas de uma epopeia: a longa narração, a longa aproximação de uma estória longa, repleta de episódios. Em comparação, a obra de arte é efêmera: caso limite, a performance: dura agora, dura o pouco que dura enquanto é vista, sentida, praticada: e por durar pouco é irrepetível: seu programa é trágico: o evento acontece num ato unitário, de um golpe, de uma vez, irremediavelmente. Tópico. Seu programa é tópico: aqui e agora, aconteceu.

Ao longo do tempo, a obra de cultura assegura a continuidade: de tudo que promove, de tudo que a sustenta, de si mesma. Ao longo do tempo, a obra de arte é interrupção. (A obra de arte pode durar, sem dúvida: mas o que dura nela não é o que nela estava quando *ela foi*, antes: em outro tempo, é outra coisa.)

Como processo, a obra de cultura é reiterativa, reprodutiva: seu programa é cumulativo, patrimonial: a cultura se presta ao patrimônio histórico muito mais que a arte: a inclusão da obra de arte na ideia de patrimônio é uma apropriação da ideia de arte pela ideia de cultura: a rigor, é violação ao princípio da arte pela cultura. A obra de arte intermitente, interruptiva como é, não acumula, não constitui um patrimônio a não ser como falácia, como sofisma (como sofisticação, quer dizer, como falsificação) da cultura. A arte dispersa seus valores, fragmenta o patrimônio, contesta o patrimônio, anula o patrimônio — e a transformação de uma *prática do rompimento* em princípio de tradição e formação de provisório patrimônio, que será negado e substituído por outro, não é argumento forte o bastante para fazer reconhecer na acumulação da arte um patrimônio, a não ser *sofisticadamente*, quer dizer, falsamente. O programa, a política cultural para a arte será também dispersiva, não tanto anticumulativa como a-cumulativa. Que governo *politicamente correto* se atreve a essa compreensão e a agir em conformidade, tirando daí as consequências obrigatórias, isto é, a eliminação de parte da política cultural para a arte, aquela que a transforma em patrimônio? (E nesse caso é bem é disso que se trata: de política cultural para a arte, não de uma política artística para a arte, como poderia ser). E como aceitar que um governo democrático promova a destruição da acumulação da arte, não tenha uma política cultural para a arte? O paradoxo da arte não deve obscurecer a natureza do fenômeno, no entanto: transformo o acúmulo de arte em patrimônio *mesmo* sabendo que a ideia de arte e a ideia de patrimônio são antitéticas. (O colecionismo é uma aberração: público ou privado. Deliciosa perversão, talvez, mas perversão.)

DESENHO	geométrico, binário	*absolutista*	modal	*relativista*
PRINCÍPIO ORGANIZATIVO DO DISCURSO (D, d)	oposicional	*intervenção (coordenação)*	posicional	*cooperação*
RITUAL	formalista	*piramidal*	informal	*horizontal*

O ritual do processo da cultura é formal e formalista: só assim se pode entender e talvez aceitar que um desfile de escola de samba receba notas por quesitos individualmente identificáveis (bateria, mestre-sala, porta-bandeira): todos os quesitos devem ter sido atendidos e conforme tenham sido atendidos, receberão uma nota. O processo da arte é informal: se não é bem *tudo vale*, muita coisa vale. Ir a um concerto é um ritual: um ato de cultura, não de arte: a arte está no palco (por vezes, na minha relação com aquilo que se dá no palco). A execução de uma sinfonia é uma obra de arte: às vezes mais informal que o ato de assisti-la (apesar de tudo): como maestro, posso propor a execução de uma obra deste modo ou daquele modo; não de qualquer modo mas dentro de uma variação admissível; na arte contemporânea, a variação admissível é vasta. O programa (a política cultural) para uma obra formal é vertical, na variante piramidal; o programa para a arte é horizontal: entra-se nela por vários pontos que não são, uns, mais obrigatórios que outros. Daí, quase, a impossibilidade de um tratado de estética, ainda mais na contemporaneidade: Voltaire já sabia disso em seu tempo: Lukacs, dois séculos depois, ignorou a advertência do francês e propôs uma *Estética*, apenas explicável (mas não justificável) pelo autoritarismo medular que sustentava Lukacs e sua escola de pensamento. (Na contemporaneidade, as *Histórias* da arte substituem as *Estéticas*; mais comumente, o que promove essa substituição são as *Histórias Sociais* da arte, como a de Arnold Hauser, que são propriamente *Histórias Culturais* da arte e que, por vezes, operam a culturalização da arte, a transformação da arte em cultura (ou por inconsciência, isto é, por submissão ao paradigma imperante à época, ou intencionalmente, por um desejo nem sempre oculto de controlar a arte assim como se controla a cultura, assim como a cultura controla a si mesma.)

Esse ritual organiza-se de modo estrito por oposição: uma coisa tem seu próprio valor que, numa escala, é distinto de outro e a esse se opõe. Na arte, o modo de organização é posicional: o valor não está na coisa em si mas na posição que ela ocupa (no conjunto), podendo mudar de valor conforme a posição que assumir (na cultura, essa maneabilidade é impensável). Para uma obra oposicional, o programa (a política cultural) é de tipo intervencionista: intervenho para dizer onde as coisas estão, onde devem estar; no máximo, é um programa de coordenação: coordenar o modo de aproximação da obra. Para a obra posicional de arte, o programa é de cooperação: coopera para que se chegue ao objetivo que a obra traça para si: não pode haver intervenção, nesse caso.

E o desenho — virtual, mas frequentemente bem mais material do que se possa pensar — que a obra de cultura forma é rígido, esquemático, geométrico, de tipo binário: *ou* isso *ou* aquilo. O programa para esse desenho é de tipo absoluto: não admite variações. Para uma obra cuja lógica é modal (conforme ao modo particular e variável de execução) e posicional, como a obra de arte, o programa é sempre relativo e relativista: *depende* de como será acionado, por quem, onde, como, quando...

ÉTICA	transcendente universalista (de fato universal ou universal *dentro do particular*) ética para o outro; moral	*sociológico*	imanente singularista; ética interior, de procedimientos	*estético*

Ética não é moral e com moral não se confunde. Ética são os procedimentos próprios de um sujeito em relação a seu objeto e em relação a outros eventuais sujeitos: são as *relações* específicas estabelecidas entre um sujeito e seu objeto: são o conjunto de aspirações e operações do sujeito em relação a seu objeto: são os deveres do sujeito mas são seus desejos: são suas vinculações mas é sua liberdade. E então: a ética da obra de cultura é transcendente: não se esgota na obra, não se limita à obra mas a extravaza, a transborda em direção ao maior número fora dela mas também em direção ao passado e ao futuro, a este território e a outros territórios. Observando a ética sob o ângulo da socialidade em seu efeito de reconforto e em seu efeito identitário: sua ética é transcendente, quer dizer, é uma ética que retroage ao passado para ali buscar e afirmar o princípio de reconforto que é a identidade e que se projeta no futuro para afirmar sua validade atemporal (algo inaceitável, por certo, mas admissível aqui a título de argumentação). Uma ética transcendente porque se pretende universal pelo menos dentro do particular que é o grupo a ela vinculada ("os brasileiros são assim", "os argentinos são assim mesmo", "aqui está a brasilidade", "aqui está a americanidade") (embora certas éticas se queiram realmente transcendentais no sentido universal, como aquela religião que se vê como a única válida para toda a espécie humana: nesse sentido, essa ética é também uma moral no sentido vulgar que a palavra moral tem: propõe-se como o bem, como o bom, como o valor positivo). A ética da obra de arte é de todo imanente: vale, funciona, opera apenas dentro da esfera de presença da obra correspondente: não é uma ética para o outro; sob esse aspecto, o outro lhe é literalmente indiferente — isso quando a ética de uma obra de arte não é na verdade uma *oposição* ao outro, não é agressiva com relação ao outro: a arte da modernidade foi uma arte feita *contra* a modernidade, *contra* a sociedade, contra o homem daquele momento, isto é algo que não se pode esquecer e que no entanto já foi esquecido; a ética da obra de arte é ética singularista, é uma ética interior, formal e formalista: não vale para outro (não pode valer para outro criador, pelo menos, dentro do atual código para a arte) e não busca aplicar-se a ele (alguns filmes que no entanto são "de arte" de algum modo embutem uma ética que se propõe para o outro: há aí uma infração à ética da obra ela mesma, uma infração e portanto uma manipulação: é quando a obra de arte se transforma em obra ideológica de arte, uma contradição nos termos). A consequência é clara: o programa para a obra de cultura, do ponto de vista da ética, é sociológico (uma política cultural social e sociológica): nem filosófico chega a ser: sociológico: por exemplo, *A história social da literatura e da arte*, de Arnold Hauser, constitui um programa sociológico para a literatura e arte (o que significa que é um programa que quer transformar a arte em cultura): o programa para a obra de arte só pode ser estético[69]. A quase totalidade das políticas culturais é de natureza sociológica: firma-se em valores como democratização de acesso, quantidade de pessoas atendidas, origem social do criador e do público, finalidade social do programa etc. Um programa cultural (uma política cultural) de natureza estética não é uma impossibilidade — mas é certamente um incômodo, por romper ideias feitas sobre cultura e arte (ou ideias sobre cultura e arte firmadas

[69] Outra vez, o sentido de "estético" neste texto deve ser depreendido dos estudos semióticos de Charles S. Peirce (cf., por exemplo, *Semiótica, informação, comunicação*, São Paulo: Perspectiva).

ao longo dos séculos 19 e em parte do 20 mas que nem por isso se transformam em universais e eternas) e por incluir a operação com conceitos como o de privilégio, demasiadamente perturbador...

MODO DE COMPREENSÃO	interpretação (treinamento)	*explicativo*	hermenêutica (experiência) (a con-fusão; o individual como o não-discreto)	*investigativo*

Falar de uma obra de cultura é interpretá-la: esclarecer seu discurso, aclará-lo[70]: o programa é explicativo: a interpretação é possível quando se supõe que o interpretado é de foco convergente: e quando a base do processo é o treinamento, a preparação para ver *daquele modo* a obra ou fenômeno. A obra de arte é divergente, sua interpretação é impossível, ou sua interpretação é uma sofisticação: o programa de sua abordagem só pode ser investigativo, não explicativo.[71] Para a obra de arte, o processo de aproximação é a hermenêutica, que se justifica quando o que está em jogo é uma multiplicidade de sentidos (a con-fusão: vários sentidos fundidos num bloco não analisável, isto é, não divisível: o individual é o não-discreto, aquilo que não se pode determinar) e, pode-se dize-lo, de interpretações. A figura emblemática, aqui, é Hermes: seu campo de sentido, seu território semântico, é divergente, sua identidade não é cumulativa, nem oposicional: é flutuante: é de identificação e posicional: dependendo da situação é uma coisa, dependendo da situação é outra: Hermes, mensageiro dos deuses, filho de Zeus, conduzia as almas dos mortos pelo reino inferior, o submundo, e tinha poderes mágicos sobre os sonhos e o sono; e, não ***mas*** porém ***e*** (quer dizer, apesar disso ou por causa disso) era o deus do comércio, senhor da boa sorte e da riqueza; uma figura perigosa, porém (*a arte é perigosa*, a arte é um perigo), um simulador e um ladrão — o deus dos ladrões, na verdade: no mesmo dia de seu nascimento, roubou o rebanho de seu irmão Apolo e ocultou as pegadas dos animais fazendo-os andar para trás; buscando reconciliar-se com o irmão, Hermes deu-lhe a lira, que ele mesmo inventara ao pegar um casco de tartaruga, abrir-lhe alguns buracos e sobre eles esticar umas tantas cordas — nove delas, uma para cada uma das nove Musas, inspiradora de todos os artistas: Calíope, musa da poesia épica, Clio, da história, Euterpe, da poesia lírica, Mepomene, da tragédia, Terpsicore,

[70] Se isso for realmente necessário: ela já é suficientemente clara em si mesma e para aqueles que fazem parte de seu jogo; a interpretação se requer para o Outro, o de fora, o de outra cultura.

[71] Ver, entre outros, o poeta espanhol (nascido em 1931) Antonio Gamoneda: "Ante un poema, mi estado favorito de conciencia es la confusión" (*El País*, 3 ago. 2004, p. 40).

canto e dança, Polihymnia, poesia sacra, Urania, astronomia, Tália, comédia, Erato, poesia amorosa. Então, Hermes é o deus da arte, da ideia da arte, da forma da arte, da possibilidade da arte — de tudo que exige perícia e destreza: conduzir as almas e roubar, vender e criar instrumentos de prazer; na primeira antiguidade grega era representado como um homem maduro, com barba; na arte clássica, helênica, como um jovem desnudo e imberbe. Não posso interpretar Hermes de modo unitário, não posso esclarecer o sentido de suas ações: posso investigar como ele *agencia o sentido em determinada de suas ações*, em certas circunstâncias, em ocasiões específicas: não há um programa para Hermes, não há uma política cultural para Hermes porque Hermes não é cultural: Hermes é a exceção à cultura... Aqui, cada um se abre para o mundo conforme sua *própria* compreensão do mundo, *sua experiência* do mundo, a partir de seu código de valores (na interpretação cultural, a experiência é dos outros, dos antecessores): isso não significa que todas as opiniões tenham o mesmo valor: a maioria se equivoca ou quer enganar: mas aqui há certamente mais alternativas que na cultura, na interpretação: *o que* escolher é algo que deriva da crítica genealógica.

* * *

Este quadro de indicadores não tem um fim vislumbrável: o que se pode fazer com ele é abandoná-lo, como agora é abandonado.

Seu princípio organizativo é binário, portanto trata-se de um quadro sujeito antes de mais nada às críticas previsíveis, a começar por aquela segundo a qual nenhum fenômeno é exclusivamente deste tipo *ou* daquele segundo tipo. A ampla maioria senão todos os fenômenos que cabem examinar sob as luzes deste quadro serão, acaso, mais bem representados por um esquema que surge como um segmento de reta delimitado por dois pólos dos quais um é a cultura e o outro, a arte, de modo que uma ocorrência qualquer será orientada simultaneamente na direção de ambos, distinguindo-se de uma outra porque aquela primeira tem por exemplo seu corpo mais adensado junto ao polo da cultura enquanto a segunda o mostra mais adensado junto à extremidade da arte — e nada mais extremo que a arte. Dizendo-o de modo caricatural, o fenômeno X é "mais de cultura" que "de arte", mesmo sendo de cultura e de arte, enquanto o fenômeno Y, comparado ao primeiro, é "mais de arte" que "de cultura". Com evidência, não se pode dizer que *cinema* é cultura enquanto *pintura* é arte ou enquanto *música erudita* é arte: o que se pode dizer é que *este* filme é sobretudo ou essencialmente "obra de cultura" (convergente, destinado à comunidade, de comunicação, reconfortante, baseado inteiramente em hábitos da comunidade e em hábitos arraigados nessa mesma linguagem cinematográfica, promotor de uma identidade afirmativa e reiterativa etc.) quando comparado com *este outro* que é mais visível e propriamente dito "obra de arte" (foco divergente de significados, impermeável à comunidade como um todo e absorvível apenas por parte dela, obra de expressão mais que de comunicação uma vez que desprovida de mensagem unívoca, intranquilizadora porque me questiona em minhas crenças e porque retira o chão sob meus pés contestando minhas certezas estéticas e outras, inovadora ao repelir hábitos e práticas reconhecíveis no cinema e na comunidade, corruptora da identidade cinematográfica e de minha própria identidade, ela mesma, além de talvez amoral...) Em suma, os polos ao redor dos quais se elabora este quadro são polos-limite, extremidades radicais da significação; os casos concretos podem situar-se em algum lugar entre essas duas extremidades: alguma arte pode ser também comunicativa em alguma medida (menos ou mais que outra), algum modo cultural pode ser menos ou mais expressivo (que outro, que um modo da arte). Algum modo da arte pode ser utilitário (menos ou mais utilitário que outro); um modo cultural talvez nunca será gratuito. Algum modo cultural pode ser menos duradouro que outro, quase tão efêmero como um modo da arte (ou assim pode parecer quando de fato é apenas uma pequena ou aparente variação de um modo mais longo).

Este quadro, então, se desenvolve *ao redor* da questão da cultura e da arte buscando delimitar os termos do contrato que se estabelece entre cultura e arte, contrato quase sempre avesso ao rompimento e que no entanto mesmo assim é ocasionalmente rompido — e aí está o privilégio da arte: a arte tem o privilégio de romper seu contrato com a cultura, que não pode fazer o mesmo (e a arte tem o privilégio de romper seu contrato com a própria arte e com a sociedade, e nesse segundo caso a via é de mão dupla uma vez que a sociedade pode romper seu contrato com a arte pois a arte não é uma necessidade). Como outras vezes, também o quadro aqui desdobrado não diz sempre qual modo de cultura específico está sendo usado como objeto de análise (se é uma obra, um comportamento, uma prática, uma crença etc.): supõe-se ou se espera que o acúmulo das descrições apresentadas dará conta dessa questão. Um ponto pelo menos fique claro: a concepção antropológica de que tudo é cultura é irrelevante para este quadro e para a prática da política cultural. Dito de forma diversa: nem tudo é cultura, nem todos os modos de cultura têm o mesmo valor, nem dentro de uma mesma comunidade nem por comparação com os de outra comunidade. Não importa: o que de algum modo puder acomodar-se sob o rótulo do que aqui foi indicado como "de cultura" responderá aos traços aqui reunidos, idem para a obra "de arte". O que importa: a obra de arte não pode ser objeto de um programa de política *cultural* (e a educação é uma versão desse programa) que se aplique a uma obra de cultura; se isso acontecer, o programa será de fato *cultural*, isto é, estará se propondo transformar a arte em cultura, equívoco no entanto comum. A expressão *política artística* é menos inapropriada do que parece — e será tanto mais correta quanto se destinar não só ao amparo do artista quanto à instalação, nesse mesmo sistema, do observador (não digo "consumidor"), do *amador*. E enfim, este quadro será eventualmente aqui e ali contraditório consigo mesmo: tratando-se de cultura e arte, mais em relação a esta do que àquela mas àquela também, a palavra apropriada é *paradoxo* e de seu alcance este quadro não pretende escapar: se há algo de inaceitável nas discussões e estudos sobre a arte é o procedimento que busca, conscientemente ou não, fazer como se fosse possível, em arte e na discussão sobre arte e cultura, aparar as arestas, fundir tudo num corpo homogêneo: neste ponto, a reivindicação de Walt Whitman é vital: *Do I contradict myself? Very well then, I contradict myself, I am large I contain multitudes...* Posso não ser assim, *de todo* assim, mas meu objeto sim, é: e não pretendo impor, a meu objeto, minhas limitações...

* * *

De todo modo, introduz-se agora no esquema, e como *suplemento*, uma variação relativizante: a ideia do ponto cego. Graficamente, o desenho seria então:

CULTURA → • ← ARTE

ou, talvez, recorrendo a símbolos de sentido assentado, este:

CULTURA < • > ARTE

onde o ponto • indica o ponto cego a partir do qual, numa direção, a obra ou fenômeno se aproxima da Cultura (afastando-se da Arte) e, na outra, aproxima-se da Arte (afastando-se da Cultura). A seta é um símbolo *relativamente* neutro. O símbolo matemático < *menor do que* revela-se inelutavelmente desde logo carregado com um valor que, neste caso e por tudo que já ficou dito nos capítulos anteriores, não recuso. Em outras palavras, o que está no ponto cego não se identifica de todo com a cultura, da qual tem vários traços e da qual no entanto se afasta, nem de todo com a arte, com a qual compartilha vários componentes sem no entanto com ela se identificar de todo. O cinema, sobretudo o cinema comercial norte-americano, tanto quanto a novela brasileira, é acima de tudo uma obra de cultura. A arte conceitual (a arte baseada na ideia, não na produção de um objeto, exemplo: a ideia de que é arte o gesto de andar reiteradamente por um terreno, num percurso restrito, de ida e volta, até que sua grama alta se abaixe sob a ação das pisadas; o sulco assim aberto, e que ninguém além do artista viu ser aberto, é a única coisa que se aparenta a uma obra de arte, sem o ser; o gesto como um todo é que deve ser visto como arte, tal como o entende o artista ainda que ninguém possa ver o que ele fez e ainda que a foto que se possa tirar do resultado daquelas pisadas não seja uma obra em si, e nem o registro daquela arte, mas apenas o registro do que restou daquela obra) é, neste esquema, e radicalmente, arte. Entre uma extremidade e outra encontram-se obras ou fenômenos que ocupam um ponto cego, um ponto onde não posso divisar, na coisa, o que ela tem de cultura e o que tem de arte, um ponto onde o que ela tem de cultura transforma-se em arte e vice-versa, um ponto onde os *traços de cultura* seguidamente transformam-se em *traços de arte* para em seguida mostrarem-se outra vez como *de cultura* e logo depois outra vez em *de arte*, repetidamente, não se exibindo nem como uma coisa, nem como outra, mas sem ocultarem de todo os fantasmas de uma coisa e outra. Vários filmes de Woody Allen, como *Tiros na Broadway* e *Manhattan*, estão nesse ponto cego ou ponto de fuga da cultura ou da arte. Não creio ser rentável, para a compreensão do que aqui está em jogo, imaginar toda uma escala de graduação, uma régua semântica da cultura (ou da arte), segundo a qual fosse possível catalogar todas as obras e fenômenos. A decomposição do mundo constituído pelas obras humanas (o mundo Cultural, com esse **C** maiúsculo, como tradicionalmente empregado em oposição ao **c** minúsculo da cultura representada pelo teatro, pela literatura etc.) em pares antagônicos, na expressão de Simmel, é mais proveitosa, *num primeiro momento*, para a ação em política cultural. Não creio que essa régua seja rentável, nem que ela corresponda à "realidade". O mundo não é feito (o tempo todo, sob todos os aspectos, embora possa sê-lo em algum tempo, sob algum aspecto) por coisas que são ou apenas isso, ou apenas aquilo, por exemplo pessoas boas (inteiramente e sempre boas) e más (inteiramente e sempre más); todos (ou quase todos, ou a extremada maioria) são bons e maus em momento alternados. Mas esse raciocínio não é transplantável para o domínio da cultura e da arte. O que interessa aqui — num instante da história do conhecimento em que a ideia de *dialética* (a transformação continuada de dois contrários em sucessivos terceiros) vê-se superada pela ideia de *justaposição* de contrários ou, melhor, dos diferentes — é o *corte* e o *momento do corte*: no corte, no instante do corte, esta obra ou fenômeno é "de cultura" ou é "de arte". Ocasionalmente, no corte, o que é de cultura se oculta e se revela como de arte e o que é de arte se oculta e se mostra como sendo de cultura, de tal modo que, *de repente*, não sei dizer o que a coisa é. Esta, a ideia. A (falsa) tríade é suficiente: os supostos infindáveis pontos intermediários entre as três esferas são irrelevantes e, esses sim, falsos. Claro que o corte pode estar sendo feito com um instrumento de análise que, esse sim, é cego, está cego, assim como se diz de uma faca que ela está cega, sem fio, não está afiada. Há uma alta probabilidade de que cego seja sempre o instrumento, não o ponto... Nesse caso, retorna-se aos elucidativos, instigantes e heurísticos *pares antagônicos*...

ÍNDICE TEMÁTICO

BIBLIOGRAFIA

APPADURAI, Arjun. *Modernity at Large: Cultural Dimensions of Globalization*. Minneapolis: University of Minneapolis Press, 1996.

ARNOLD, Matthew. *Essays in Criticism*. Londres: Dent, 1964.

BERLIN, Isaiah. *The Roots of Romanticism*. Princeton: Princeton University Press, 1999.

BOURDIEU, Pierre. *Le sens pratique*. Paris: Minuit, 1980.

________. *An Invitation to Reflexive Sociology*. Cambridge: Polity, 1992; *Convite a sociologia reflexiva*. Rio de Janeiro: Relume Dumará, 2002.

CERTEAU, Michel de. *La culture au pluriel*. Paris: Union générale d'éditions (UGE), 1974.

CANCLINI, Néstor García. *A globalização imaginada*. São Paulo: Iluminuras, 2003.

CLASTRES, Pierre. *A sociedade contra o Estado*. São Paulo: Cosac & Naif, 2003.

COELHO, Teixeira. *Usos da cultura*. Rio de Janeiro: Paz e Terra, 1986.

________. *Semiótica, informação, comunicação*. São Paulo: Perspectiva, 1984.

________. *Dicionário crítico de política cultural*. São Paulo: Iluminuras/Fapesp, 1997.

CUCHE, Denys. *La notion de culture dans les sciences sociales*. Paris: La Découverte, 2002.

DANTO, Arthur Collerman. *After the End of Art*. Princeton: Princeton University Press, 1997.

EAGLETON, Terry. *The idea of culture*. Oxford: Blackwell, 2000.

GEERTZ, Clifford. *Old Societies, New States*. Nova_York: The Free Press, 1963.

GIDDENS, Anthony. *Runaway World*. Londres: Profile Books, 1999.

GIDDENS Anthony, LASH, Scott e BECK, Ulrich. *Reflexive modernization*. Londres: Polity Press, 1994.

GOMBRICH, Ernst. "La historia del arte y las sciencias sociales", in *Breve historia de la cultura*. Barcelona: Península Ed., 2004, p. 102.

HOBSBAWN, Eric e RANGER, Terence (orgs.). *A invenção das tradições*. São Paulo/Rio de Janeiro: Paz e Terra, 2002.

HUNTIGNTON, Samue. *The clash of civilizations: Remaking of the world order*. Nova York: Touchstone, 1996.

KANT, Elmmanuel. *Ideia de uma história universal de um ponto de vista cosmopolita*. São Paulo: Martins Fontes, 2003.

KOJÈVE, Alexandre. *Introduction à la lecture de Hegel*. Paris: Gallimard, 1968.

LEFÈBVRE, Henri. *O direito à Cidade*. São Paulo: Documentos, 1967.

LUKACS, Georg. *Histoire et conscience de classe*. Paris: Minuit, 1960.

MAFFESOLI, Michel. *Au creux des apparences*. Paris: La Table Ronde, 2007.

MATTA, Roberto Da. "For an anthropology of the Brazilian tradition or 'A Virtude está no meio'", in *The Brazilian puzzle: culture on the borderlands of the Western World*, David J. Hess e Roberto A. Da Matta (eds.). Nova York: Columbia University Press, 1995.

MONTESQUIEU. *O gosto*, Teixeira Coelho (trad.). São Paulo: Iluminuras, 2005.

MULHERN, Francis. *Culture, metaculture*. Londres: Routledge, 2000.

NEGRI, Antonio. *5 lições sobre o império*. Rio de Janeiro: DP&A, 2003.

PARSONS, Talcott. *Eléments pour un sociologie de l'action*. Paris: Plon, 1955.

SAID, Edward W. *Power, Politics and Culture*. Nova York: Vintage Books, 2002.

SAPIR, Edward. *Anthropologie*. Paris: Minuit, 1967.

SIMMEL, Georg. *Philosophie de l'argent*. Paris: PUF, 1987.

________. *Sobre la aventura: ensayos de estética*. Barcelona: Ed. Península, 2001.

________. *Le conflit*. Paris: Circé, 1995.

SLOTERDIJK, Peter. *En el mismo barco*. Madri: Siruela, 2002.

WILLIAMS, Raymond. *Keywords*. Londres: 1976.

________. *Cultura*. Rio de Janeiro: Paz e Terra, 1992.

Este livro foi composto em Myriad pela *Iluminuras*
e terminou de ser impresso no dia 19 de dezembro
de 2008 na *Associação Palas Athena do Brasil*, em
São Paulo, SP, em papel Polen Soft 70g.